〈おおやけ〉

公

日本国・意思決定のマネジメントを問う

猪瀬直樹

NEWS PICKS
PUBLISHING

はじめに

コロナ禍はなかなかの辛い経験だった。あたりまえだと思っていた日常生活が正面から否定されるなど考えてもみなかったのではないか。だがそういうときにこそ、変革のチャンスが訪れているのだ。

歴史を顧みてこれからの日本を創造するための壁はどこにあるか、その壁をどう突破したらよいか、少しでもヒントになれば、そういう気持ちが本書をしたためた動機であった。

現代人があたりまえのように享受している働き方や人生の楽しみ方、あるいはライフスタイルそのものまで、コロナに翻弄されてしまった。江戸時代末期に黒船が来航すると、一転して我われは憑かれたようにあらゆるものをモデルチェンジした。その結果、欧米列強による植民地化を免れ、国民国家として独立を維持することができた。モデルチェンジのきっかけは外圧だったが、徳川幕府を転覆させ、軍事政権から一君（天皇）万民というネーション・ステート（国民国家）へ切り換える考え方も、じつは文化的には熟していたのである。

コロナ禍を、黒船という外圧に匹敵する歴史的事件としてとらえ、バブル崩壊以降の下り坂の日本システムを立て直す好機としよう、そういう主張はもはやめずらしくはない。

だが問題は内実である。

表面的に変わることはできるだろう。満員電車による通勤からテレワークへ、教育施設のオンライン化、中央から地方への雇用のシフトなど、おそらく見えやすいところの動きは始まる。

だがほんとうに変わるのか。変えられるのか。変わろうとするのなら、この国に本質的に欠けているものが何なのかを理解しなければならない。それが、本書のタイトルでもある「公」という概念だ。

「公」と耳にして、その意味が何だかわかったようでいてよくわからない、それが正直な実感ではないかと思う。

だから僕はいまここに、コロナ禍において、ドイツのグリュッタース文化大臣がアーティストやクリエイターを「生命維持のために不可欠な存在」と言い切って、真っ先に給付金を支給したところに「公」の意味のヒントがあることを示したい。

「ほんの少し前まで想像だにしなかったこの歴史的状況において、我われの民主主義社会は独自で多様な文化および（独自で多様な）メディア界を必要としている。クリエイティブな人びとのクリエイティブな勇気が危機を乗り越える力になる。我われが未来のためによいものを創造するあらゆる機会をつかむべきだ。アーティストは不可欠な存在であるだけでなく、いままさに生命維持に必要な存在なのだ」

コロナ禍で戦いの前線にいる医療や介護に従事する人、またライフラインを司るエッセンシャルワーカー（生活に欠かせない仕事の従事者）は必要だ。だがそれだけでなく、アーティスト、作家、クリエイター、フリージャーナリストなど今後の社会を創造し、デザインする人たちの戦いに強い期待感を表明している。

我われはともすれば「公」は、司法・立法・行政の側、「官」にあるものと思いがちである。あるいは新聞・テレビ・出版社などの会社（サラリーマン）メディアにその役割を期待している。しかし、これらは「公」の一部にすぎない。

ドイツの文化大臣が述べる「独自で多様な文化および（独自で多様な）メディア界」は「官」の下僕であるような日本のメディア界と同じではない。「クリエイティブな人びとのクリエイティブな勇気」にこそ「公」が宿っているのである。

彼らによって新しい世界のビジョンがつくられるのであり、ビジョンがなければ我われはアフター・コロナを生き延びることができない。

日本は行政機構が肥大化した特殊な国家だ。つまり官僚主権の国家である。官僚機構はシンクタンクと行政の執行機関を兼ねている。国家ビジョンを官僚機構がつくっている。本来なら「独自で多様な文化および（独自で多様な）メディア界」が「公」であり、「クリエイティブな人びと」がビジョンをつくり、その下請けが行政機構であるはずだ。

ところが日本で文化庁のサイトを見れば「文化芸術に関わる全ての皆様へ」という文化庁長官の言葉が載っている。「困難に直面した人々に安らぎと勇気を与え、明日への希望を与えてくれたのもまた、文化芸術活動」という言い方、物足りない。たしかにアートの一面を示しているが、癒やしだけでなくもっと激しい意志が宿っていてよいはずだ。「文化芸術の灯を消してはなりません」とも記されているのを見ると、日本ではアーティストが保育器のなかで保護されるようなものと捉えられていることがわかる。

アートを日本語にすると、狭い枠組みのなかでの特権的で趣味的な文化芸術にされてしまう。生命体としての社会全体を駆動させる表現活動の総体としての位置付けが消えてしまう。おまけのような存在でしかなく「公」から遠ざけられている。

これからの日本の危機を乗り越えるには「クリエイティブな勇気」を総動員するしかない。コロナ禍という外圧をきっかけに、「あらゆる機会をつかむ」のだ。そのためには「公」の意味をつかみ直す必要がある。

本書は、コロナ禍のなかの日本の針路を決める意思決定についての分析を第Ⅰ部とし、第Ⅱ部に　黒船来航によって転換した日本で、どのように言論・文化を担う人びとが現れたのか、現在のデジタル空間にどうつながっているかを描いた。第Ⅲ部では、作家として日本独特の政策決定システムである官僚機構に対峙した経験から、その教訓を導き出したつもりである。少し長い回り道となるが、最後まで読んでいただければ表層ではなく本質からこの国を理解するために、「公」の一文字が欠かせないことをわかってもらえるはずだ。

公

目次

第II部

作家とマーケット

第Ⅲ部

作家的感性と官僚的無感性

第I部

新型コロナウイルスと意思決定

〝孤島〟ダイヤモンド・プリンセス号

不吉な使者

間断なく押し寄せる〝コロナの波〟のなかで、もはや忘れられかけている光景から始めよう。

――横浜の大黒ふ頭に停泊していた英国船籍の豪華客船ダイヤモンド・プリンセス号は巨大な動くホテルである。白く流麗な姿は海の青さとのコントラストが鮮やかで、塵芥にまみれる陸地を蔑むかのように悠然と浮かんでいる。

この新時代の夢の城は、排水量11万6000トン、全長290メートル。高さ54メートル（水面上）は17階建てのビルに相当する大きさである。

かつて大日本帝国海軍が秘密裏に建造した戦艦大和・戦艦武蔵は排水量6万9000トン、全長263メートル、ごつごつとした鉄の塊が鈍色に輝く世界一の巨艦であった。

戦艦大和・戦艦武蔵の乗組員は各3300、2500人だが、ダイヤモンド・プリンセス号は乗組員1100人、乗客2700人と大きさだけでなく人の数も大きく上回る。

こうした巨大なクルーズ客船がつぎつぎ建造され太平洋に現れたのはこの20年ほどの期間であった。格差社会が深まり富裕層が増加したこと、長寿命化により需要が掘り起こされたことが要因となった。また欧米だけでなく東アジアでも人口14億人の中国を先頭とする〝中進国（新興工業経済地域）〟の経済成長によって空前絶後の観光市場が誕生したことも大きい。ダイヤモンド・プリンセス号は、奇しくも戦艦武蔵を建造した三菱重工長崎造船所で誕生している。

いま語ろうとしているのはこの巨大な白船が幸福の使者から、不吉な禍の運搬船と化したことについてだ。

新型コロナウイルスは日本人の意思決定にまたひとつ問題を投じた。それは歴史的にも繰り返し、繰り返し問われてきた解決されざる課題でもあった。

中国・独裁者の意思決定

中国・湖北省武漢市内で原因不明の最初の肺炎患者が見つかったのは2019年12月8日で、12月30日に武漢市内の病院に勤務する医師・李文亮によりSNS上で重症急性呼吸器症候群（SARS）に似た肺炎が確認されたと発信された。翌日WHO（世界保健機関）にも知らされた。

しかし李文亮は2020年1月3日に武漢市公安局から、インターネットに虚偽の内容を掲載した、と訓戒処分を受ける。その後、李医師自身も罹患して1月12日に入院、2月7日に死去している。

公安当局だけでなくメディアも、李医師をデマの伝播者と見做していたが、1月12日にWHOが、新型コロナウイルス感染者41名、うち初めての死者が出たと公表する。WHOは発症者のほとんどが武漢市内の海鮮卸市場の従業員や来訪者であることを確認していた。

中国では共産党の地方幹部は中央の指導部に対して都合の悪いことは報告したがらない。人事権は中央にあるから、顔色をうかがう忖度《そんたく》の関係になっている。しかし、新型コロナウイルスの存在が海外へ知れ渡ると中央の幹部は、なぜ報告しなかったのかと責任を地方幹部に押しつけ難詰する側に豹変した。

国際的なメンツを失うことを恐れた習近平独裁政権の感染症に対する猛スピードで苛烈な反撃がここから始まるのである。

習近平国家主席は1月20日、「新型肺炎を全力で予防、制圧する」と指示を出し、武漢市への列車と航空便を止め、外部の交通を遮断した。1月24日から始まる春節（旧正月）の大型連休で延べ30億人規模の移動が見込まれていたからだ。

武漢を閉鎖した23日に1000人の患者が入院できる病院の突貫工事を10日で完成させる、と号令を発した。テレビ画面には、無数の蟻がもぞもぞとたかるように、あたかもミニチュアのブルドーザーが動いているかのごとくその様子が映し出された。実際に10日後の2月3日に病院は開院する。2日遅れでスタートした1・6倍規模の病院の建設も突貫工事で滞りなく完成させている。「火神山医院」と「雷神山医院」と名付けられた。

ある意味では独裁政権の意思決定はわかりやすい。

最初のクラスター

武漢市の封鎖という強硬手段をとった中国に対して、感染のクラスターとなった、横浜・大黒ふ頭に停泊していたダイヤモンド・プリンセス号をめぐる日本国の意思決定はわかりにくかった。

1月20日に横浜を出発するクルーズに参加し、25日に香港で下船した乗客が新型コロナウイルスに感染していると判明した。寄港予定を1日短縮して2月3日に横浜沖に戻った。その夜に検疫官が乗船した。検疫官はマスクはしていたが、防護服でなく紺色の作業服を着ていた。

2月5日の早朝まで船内での行動は制限されておらず、乗客はマスクもせずにバーでくつろぎ、ショーなどのイベントも通常通り開催されていた。海上保安庁はマスク7200枚を急遽ヘリコプターで輸送する。10人に陽性反応があると判明したので海上保安庁が患者を巡視艇に乗せ換えてから神奈川県内の病院へ移送した。

ウイルス検査の対象となる乗員・乗客は3711人にのぼるが一度にはできない。症状がある者とその濃厚接触者から順次検査が始まった。クラスターが発生しやすいホットスポットであることは自明にもかかわらず、厚労省は2月5日に「有症者を中心に新型コロナウイルス検査を実施しており、その結果については、追って公表いたします」としか発表していない。

クルーズ船は2月6日早朝に大黒ふ頭に接岸した。この時点で神奈川DMAT（医師・看護師・調整員で構成される1チームおよそ5人の災害派遣医療チーム）が船内に入って活動をスタートさせている。この日、10人が病院へ搬送された。

翌7日のプレスリリースにはこう記された。

「2月3日より横浜港で検疫を実施しているクルーズ船『ダイヤモンド・プリンセス号』について、新たに新型コロナウイルスに関する検査結果が判明した171名のうち41名について新型コロナウイルスの陽性が確認されたため、本日、東京都、埼玉県、千葉県、神奈川県、静岡県の協力を得て感染症病棟を有する医療機関に搬送することとした。陽性が確認されたのは、合わせて（5日、6日、7日）273名中61名となった」

注記に、WHOではこの数字は日本国内の発生件数と別個の件数として取り扱われている、とある。

日本国内の発生件数は5日時点で19人と少ない。武漢からの観光客を乗せたバスツアーの運転手など感染源が明らかにできる者に限られていた。ダイヤモンド・プリンセス号の乗客の感染者数は耳目を引くに充分であった。だからテレビのワイドショーは連日、クルーズ船の動向を追うようになる。

対策本部の意思決定

「感染症対策本部」の設置

日本政府はどう対応したか、その意思決定の場となる「新型コロナウイルス感染症対策本部」（以下、対策本部、本部長は安倍内閣総理大臣）の第1回会合が国会内の大臣室で開かれたのは1月30日12時1分から12時10分のわずか9分間であった。10分間でしかない、というところに危機感の弱さを感じる。

前日に武漢からのチャーター便で206人が、当日に210人が帰国している最中であった。

国会の開会中であり昼休みの隙間の時間があてがわれた。20人の閣僚に加え官房副長官や内閣補佐官ら9人が参加している。本部長つまり最高指揮官は安倍首相だが、その存在感はきわめて薄い。会合では、加藤勝信厚労大臣が5分（「WHOの……動向も注視しつつ、引き続き、水際対策と国内の感染拡大防止に、厚生労働省一丸となって取り組み、国民の皆様の安全・安心の確保に万全を期してまいります」）、茂木敏充外務大臣が2分（「外務省では、先週、対策室を立ち上げ、省をあげて邦人の安全確保及び早期帰国に向け、関係省庁と連携して取り組んでいます」）、事務的な報告をした。

対策本部は対策のために意見を述べる場なのかと思ったが、そうではない。儀式的な空間であった。

首相官邸のＨＰ（「総理の一日」）を見ると、こう書いてある。

「1月30日、安倍総理は、国会内で新型コロナウイルス感染症対策本部を開催しました。会議では、新型コロナウイルス感染症への対応について議論が行われました。総理は、本日の議論を踏まえ、次のように述べました」

実際には対策本部会合では、自由討議はまったくない。つまり、議論などしていないのだ。

3人目の発言者である安倍首相は、あらかじめ役人が用意した文面を読み上げた。発言は3分で終わった。

「今後も、今回のウイルスの特性をしっかりと踏まえながら、感染拡大の防止を何よりも第一に、事態の推移を充分に注視しながら、これまでの発想に捉われることなく、柔軟かつ機動的な対策を講じてまいります」

この表現で、「事態の推移を充分に注視しながら」は、役人の常套句である。そう言っておけば間違いないからだ。最後はこう締めくくっている。

「各閣僚におかれては……情勢変化を踏まえながら政府一丸となって、何よりも国民の命と健康を守ることを最優先にやるべき対策を躊躇なく決断し実行してください」

台本通りである。ふつうのテレビの討論番組でも、進行台本はつくられている。しかし、それは何と何をどういう方向で議論するか、必要な項目を並べておくためでありあくまでも目安にすぎない。

国会の質問で、大臣は答弁を読み上げる場面が多いのは、質問の事前通告があるからで、数字を挙げたり、法律の根拠を示したりして答えなければならないためだ。だからそれぞれの担当部署の官僚が答弁書をつくらないとならない。

しかし、対策本部会合では野党から質問が飛ぶわけではない。自分たちが疑問をぶつけ合い、それを官僚たちに指示すればよいのだ。ところが官僚はとんでもない宿題を負わされるのを避けるため先に台本をつくってしまう。政府の審議会など、往々にして官僚主導で行われている。審議会の事務局がシナリオをつくって運営するのだ。だから御用審議会などと批判される。

感染症の最高意思決定機関である対策本部も、各大臣など出席者からの衆知を結集するのでないとしたら、あらかじめ結論が用意された御用審議会とどこが違うのであろう。

「対策本部」会合の第2回は、WHOが「国際的に懸念される公衆衛生上の緊急事態」と宣言した1月31日に開かれた。国会審議の合間の12時11分から22分まで11分間、そして第3回会合は同日の18時11分から21分まで10分間であった。

第3回会合での発言は、「水際対策」についてだった。当時の認識では、新型コロナウイルスの日本上陸を防げばよかったのだ。

なぜなら中国の患者数9692人に対して日本12人、韓国6人、台湾9人、シンガポール13人、オーストラリア9人、アメリカ6人、フランス6人、イタリア2人など20カ国の患者数は108人しかいない。まだ対岸の火事にすぎず牧歌的であった。「水際対策の実効性を一層高め」発生源である（武漢市のある）湖北省に14日以内に滞在歴のある外国人及び湖北省発行の中国旅券を持つ者の「入国を拒否」することに主眼が置かれている。

対策本部の第4回会合は2月1日11時32分から11時43分、これもわずか11分。指定感染症として強制入院が可能である、とした。首相発言は「全ての関係大臣が、それぞれの持ち場で、打つべき手は、どんどん打っていく」と締めくくられている。それぞれでやれ、では縦割りを助長しているようにも受け取られかねない。

ダイヤモンド・プリンセス号問題が登場したのは2月5日18時14分から29分まで15分間の第5回会合である。安倍首相は、ここで「乗員・乗客には、最大14日間の潜伏期間を想定することが必要であることを踏まえ、当面上陸を認めない」とした。2月5日から14日後だから、2月19日に乗客は〝解放〟される予定になった（正式に19日から下船を開始すると発表したのは2月16日の対策本部での安倍首相発言になる）。

実際に19日から乗客の下船が始まった（YouTubeの動画で告発した岩田健太郎神戸大学教授が船内に入ったのは2月18日であり、下船の前日に来てもあまり意味がない）。

80歳以上で窓のない部屋にいた人、基礎疾患を抱えている人はすでに2月14日の時点で、本人が希望する場合は潜伏期間が解消するまで埼玉県和光市にある税務大学校の研修施設などに宿泊となっていた。

外国人も各国政府が用意したチャーター機で帰国している。たとえば2月17日にはチャーター機で帰国するアメリカ人が下船した。結局、停泊した期間にアメリカ人328人、その他の韓国、オーストラリア、カナダ、イスラエル、香港、台湾、イタリア、イギリス、ロシア、フィリピン、インド人はチャーター機や専用機で帰国した。

陰性だった乗客は下船すると公共交通機関で帰宅した、とも報じられ、それでよいのかとテレビ番組で批判されたりもした。2月27日には乗員の下船も始まった。半数を占めるフィリピン人をはじめとする乗員は健康観察期間として14日間を税務大学校の研修施設で宿泊する段取りになった。

ダイヤモンド・プリンセス号では、先頭に立った神奈川県庁と横浜市の職員、全国から派遣されたDMATの医療従事者、厚労省の職員、内閣官房の職員などが第一線で奮闘していたが、総指揮官が誰か明確ではなかった。加藤厚労大臣がしばしば会見をしたが現場を熟知しているとは見受けられなかった。

小泉進次郎の対策会議欠席はそれほどおかしいことなのか？

さてここでどうしても述べておきたいことがある。リーダーシップと意思決定についてである。

習近平国家主席のリーダーシップは独裁権力に基盤を置いている。課題解決のスピードは強権的で凄まじいが、間違った舵取りをされたらどれだけの被害が生じるか、数千万人もの犠牲者を出した毛沢東の大躍進政策や文化大革命の教訓として残されている。

では今回の新型コロナウイルスでの、日本の意思決定はどうか。武漢での感染が発生した際に、対岸の火事のような対応しかしていない。まずすぐに省庁横断のプロジェクトを立ち上げなければいけなかったはずだ。

ようやく首相をトップに「新型コロナウイルス感染症対策本部」がつくられ、閣僚と補佐官約30人がテーブルについた。会合は1月30日から2月27日までに15回開かれた。だが開催時間は1回につき10分から15分でしかない。討議の時間はない。担当大臣の発言が公表されているが、役人のつくった文章を厚労大臣が5分、他の大臣が1人かせいぜい2人で2分か3分、首相が3分ぐらいの割り振りで読み上げているだけだ。それだけで15分が過ぎてしまう。これでは対策本部は、役人がしつらえただけの機関でしかなかったことになる。対策本部での首相発言は閣僚に向けてなのか、国民に向けてなのか曖昧だ。

安倍首相にリーダーシップがあれば、対策本部で閣僚に指示したあとに記者会見と国民へ直接語りかける演説をするはずだが、そうしていない。

これが国家の意思決定といえるだろうか。

小泉進次郎環境大臣が対策会議に1度だけ欠席（代理で環境大臣政務官が出席）した。2

月16日、日曜日に開かれた地元の後援会の新年会に出ていた、と共産党議員に追及されメディアでも批判された。脇が甘い面があったのは事実だが、この日の会合はわずか11分だった。発言の機会もなく意思決定に関わりのないものであれば時間の無駄ではないかと思ってしまう、それもあながち否定できない。

全国小中高の休校要請はどのように決まったのか？

2月27日の15回目の対策会議の会合はわずか10分間、いきなり「全国全ての小学校、中学校、高等学校と特別支援学校について、来週3月2日から春休みまで、臨時休校を行うよう要請します」と首相が結論を出した。この前段として2月14日に感染症の専門家を中心とした12人の医療関係者により構成された「新型コロナウイルス感染症対策専門家会議」が「対策本部」の下に設置された。ダイヤモンド・プリンセス号が横浜にやってきたときになぜすぐに専門家会議が設置されなかったのか。下船開始のたった5日前であり、残念ながら専門家の知見を生かすオペレーションのせっかくの機会を逸したのである。

そして、この専門家会議は2月24日（3回目）に「これから1—2週間が（感染の）急速な拡大に進むか、収束できるかの瀬戸際」という見解を公表した。

2月26日の第14回対策本部会合では「現時点で全国一律の自粛要請を行なうものではないものの……全国的なスポーツ、文化イベント等については……今後2週間は、中止、延期又は規模の縮小等の対応を要請」する（安倍首相）に変わった。

さらに2月27日にすでに記したような全国小中高の一斉休校へとエスカレートした。ほんとうに一斉休校が効果的だったのだろうか。満員の通勤電車のほうが感染リスクが高いのではないか。学校の休校は一斉にではなくそれぞれの地域の感染症発生の状況に応じてまだら模様にしてやってもよいはずだ。

台湾はそのように動いた。2月20日に台湾では、学級閉鎖や休校などの措置に関する基準として教員か生徒1人の感染が確認されたら学級閉鎖、2人以上が感染したら休校、としている。また独自の休校案の実施を進めようとしていた熊谷俊人千葉市長はFacebookでこう指摘した。

「共働き、一人親、両親に頼れない、障害児を抱えている保護者の方々はどうするか。その中には当然、新型コロナウイルスを含めた医療に従事する方、新型コロナウイルスで重篤になるリスクを持つ高齢者が入居する福祉施設で従事する方を始め、社会を最低限維持するために必要な職種の方々がいます」

エッセンシャルワーカーへの配慮なしの休校措置を危惧している。

学校が休校でも代わりに朝から夕方まで長時間にわたり学童保育の狭い部屋にいるほうが感染予防の観点からは、かえってリスクが高いのではないか。

「政府が今回の一斉休校を、どういう疫学的見地から判断しているか分からなくなってきました」と訴えている。

議事録の意味

意思決定のプロセスが見えない

一斉休校を決めた2月27日の会合時間は10分間であった。すでに述べたように対策本部という最高意思決定機関は討議の場でなくただの発表の場にすぎなかったのである。ではいったいどこで決めた？　意思決定のプロセスがまったく見えないのだ。

「首相動静」をチェックすると、萩生田光一文科相が安倍首相に呼ばれたのはその日の午後1時29分であった。萩生田文科相より2時間を遡った午前11時8分、文科省の藤原誠事務次官、丸山洋司初等中等教育局長が呼ばれていた。一足先に役人に一斉休校を言い渡していたのだ。文科事務次官らから一斉休校の報告を受けた萩生田文科相は、春休みを2週間ほど前倒しするぐらいに思っていた。一斉休校については「当日まで知らなかった」と国会で野党議員の質問に答えている。

萩生田文科相は、安倍首相に、準備ができていないと主張した。今井尚哉《たかや》首席秘書官兼首相補佐官が横にいて話に加わった。一斉休校を決めたのは首相と今井秘書官、というより今井秘書官の提言を首相が受け入れたものと理解した。

櫛で整えられた白髪の混じったオールバックの今井の姿は、安倍首相に寄り添い同行する際にわずかにテレビに映る程度、〝影〟に徹しているようだ。

今井の叔父の善衛は、通産省（現、経産省）を舞台にした城山三郎著『官僚たちの夏』に登場する。通産省事務次官を務めた今井善衛の妻は山崎種二（山種証券創業者）の長女、安倍昭恵夫人の叔母が山崎種二の三男の妻で、今井家と安倍家は縁戚にあたる。もう一人の叔父に今井敬元経団連会長がいる。今井敬は、第Ⅲ部で後述する小泉内閣の道路関係四公団民営化推進委員会の委員長として国交省側の意見を代弁し、ことごとく委員の僕と対立、途中で辞任した。

今井尚哉は、永田町や霞が関でサラブレッド視されてきた。そういう血筋の今井は、安倍晋三より4歳下の61歳、〝総理は今井の操り人形〟と週刊誌にレッテルを貼られるまでに存在感を増している。

今井秘書官は経済産業省で資源畑を歩み、東日本大震災後の原発再稼働に奔走した。第一次安倍内閣で秘書官となり、内閣が1年で崩壊したのちも安倍と交流を続け、第二次安倍内閣で再び秘書官となりアベノミクスを立案して信頼を増した。「一億総活躍社会」も今井秘書官の発案であった。資源畑育ちでエネルギー政策通の強い自負が、安倍首相のトルコやイギリスやベトナムへの原発売り込み外交を展開させた。だが売り込みはことごとく失敗している。

2019年には政策企画の総括担当の首相補佐官を兼任するようになり〝影〟の存在ではなく露出度が上がってしまう。今井秘書官兼補佐官と、内閣を切り盛りする菅義偉官房長官との水面下の対立も取り沙汰されてきた。

その不透明感が、〝コロナ禍〟の政策決定の不信感へとつながっていると思われる。

記者クラブは誰の味方か

2月29日午後6時から安倍首相の記者会見が行なわれた。内閣記者会側への事前の案内では所要時間20分程度とされていた。

安倍首相は演壇の左右に置かれた透明板のプロンプター（原稿映写機）を見ながら小中高校と特別支援学校の臨時休校を要請する意義について説明した。19分間の説明が終わると、この日の幹事社である2社（朝日新聞、テレビ朝日）の質問があり、その後にNHK、読売、AP通信の3記者が指名された。この5人の記者の質問はあらかじめ通告されていたもので、安倍首相は壇上のペーパーを見ながら答えている。

記者の質問で「27日に突然、発表したが、その日のうちに政府からの詳しい説明はなかった。説明が遅れた理由は」と問われて、こう弁明した。

「専門家の皆様も、あと1、2週間という判断をされた。いわば、判断に時間をかけているいとまがなかった。しかし、責任ある立場として判断しなければならなかった、どうか御理解を頂きたい」

予定された記者の質問が終わると会見は打ち切られた。フリージャーナリストの江川紹子が「まだ質問があります」と声をあげたが、広報官は「予定の時間が過ぎておりますので」と受け付けない。「まだ質問があります」と再び言ったが質疑は終わった。江川は「説明が遅れたことについて、根拠が示されなかった」と思って手を挙げたのだ。

日本の記者クラブ制度は、新聞社とテレビ局だけが加入でき、雑誌やフリーランス、ネットなどが原則として排除されている。新聞と系列のテレビ局など既存メディアは、役所に部屋を与えられ、冷蔵庫などの備品も提供されている。これは明治時代以来、ずっとつづいている悪しき慣習である。

記者クラブは、いわば行政情報を仕入れる中央卸売市場のようなものである。ニュースの見出しが各社似ているのはそのためで、産地直送にあたる直接取材による独自視点のニュースが少ないという弊害がある。日本では、既成メディアは〝官報〟の役割を果たしてきた。先進国から来日した特派員は、官主導のこの制度が理解できず翻訳不可能なのでローマ字でキシャクラブと記して呆れ返っている。

江川紹子のようなフリーランスを入れるかどうかの判断は政府がするのでなく、記者クラブに委ねられているのが実状で、この記者会見でも当局と記者クラブの間で質疑応答の時間などが決められていた。

……質疑応答は15分間で打ち切られた。

「首相動静」によると午後6時36分に会見を終えると、午後6時57分に安倍首相は官邸を出発して午後7時12分に渋谷区富ヶ谷の自宅へ到着している。後ろに予定がないなら、もう少し会見を延ばせばよいのだ。

対策本部は「御前会議」？

週が明けて3月2日午前9時からの参議院予算委員会の冒頭で立憲民主党・福山哲郎幹事長が、全国小中高校への休校要請について、政府内での決定過程について安倍首相へ質問した。

「直接、専門家の意見を伺ったものではない。判断に時間をかけるいとまがないなかにおいて、私の責任において判断させていただいた」と安倍首相は答えた。決断には、そこにいたるプロセス、いかに衆知をアウフヘーベンしたかの説明が必要だ。

午後の質問でそのあたりのプロセスがわかりにくいと野党側から、「どこで決まったかわからない。政府の対策本部の会議で結果だけ決まって、報告されているか、直前の総理、官房長官、関係大臣らの会議で決めているのか」とさらに追及された。

安倍首相は、「最終的な判断は対策本部で私が申し上げ、決まったということだが、それに先立って（一斉休校の）判断を固めた」と答えたが、菅官房長官がこう補っている。

「総理の下で『連絡会議』というか（官邸で会合を）行なっている。今後、事態への対処を進めるなかで議事概要をつくる予定だ。『連絡会議』の議事概要も公表していきたい」

連絡会議で首相はどのような発言をしていたのだろうか。そこで議論が行われていたのならば首相の言葉が残るはずだ。対策本部での首相発言には、苦悩の足跡もみつからないし、自らの言葉で国民に訴えかける情熱も感じられない。感染症の専門家など他の意見を組み込み高めるための討議もなされていない。

2月29日の安倍首相の記者会見でも説明は不充分であった。求められているのは天の啓示による政治判断ではなく討議内容の記録の開示とロジックだ。

再び首相動静で確認すると、一斉休校を決めた2月27日の10分間の対策本部会合の直前の午後5時23分から54分までの31分間、執務室に4人の閣僚と16人の官邸官僚と主要省庁の事務次官で連絡会議が開かれている。

政治家は加藤厚労大臣と菅義偉官房長官、西村官房副長官（衆議院）、岡田官房副長官（参議院）の4人のみ、その他は役人の官房副長官、首相補佐官、内閣危機管理監、国家安全保障局長、主要省庁事務次官など16人。これは裏の意思決定機関であり、全閣僚の出席する対策本部はお飾りのようなもの、いわば「御前会議」であったことがわかる。一斉休校は専門家会議の意見ではない。

戦前の国家意思決定でも、政府と大本営（軍部）の「連絡会議」であらかじめ結論をつくり、天皇臨席の「御前会議」で国家意思を決定した。天皇は臨席すれども発言せず、つまり「御前会議」とは、儀式としての会議であり、僕はあえて一斉休校という重大決定をした「対策本部会合」を形式のみの「御前会議」と揶揄してその言葉を使っているのだ。
菅官房長官は、「連絡会議」が事前に開かれたことは認めたが、すでに連絡会議より以前に今井秘書官ら側近の官邸官僚の進言で一斉休校が決められたことは伏せた。菅官房長官は、重大決定に自分が外されていたことを隠した。

このあたりから〝コロナ禍〟の対策は、今井秘書官ら官邸官僚の主導で進み始め、しだいに世情からかけはなれていくのである。コロナ対策の担当大臣の西村康稔《やすとし》は通産省時代に今井秘書官兼補佐官の3年後輩、厚労大臣の加藤勝信は政治家の婿養子となり国会議員になったが大蔵官僚出身である。肝心なところが役人的な布陣となっている。

意思決定が検証できる公文書の存在

「（連絡会議の）議事概要を公表する」と菅官房長官が約束をしたとはいえ、安倍内閣の公文書管理については、森友学園の国有地売却の交渉記録の改竄や、桜を見る会の招待者名簿を巡るシュレッダー廃棄など、不信感が強い。そこで野党の質問は、73歳の北村誠吾大臣（内閣府特命担当大臣、地方創生、規制改革、公文書管理等）へ向かった。

73歳の北村大臣は県会議員上がりで当選回数7回を数えてようやく入閣した。入閣待機組のいわゆる棚卸し、当選回数が多いのに順番が回って来ない政治家が派閥から推薦され、能力と関係なしに大臣になる。そういう陋習の結果の人事であった。大臣就任時の会見で担当分野の政策を問われ「これから勉強させていただきたい」と述べ、時事通信に「不安な一面を早速のぞかせた」と書かれた人物である。

その大臣への質問は、「公文書管理の最大の原則は何ですか」というものだった。

北村大臣は官僚に手渡された公文書管理法の条文をしどろもどろにこう読み上げるだけだった。

「この法律は、国及び独立行政法人等の諸活動や歴史的事実の記録である公文書等が、健全な民主主義の根幹を支える国民共有の知的資源として、主権者である国民が主体的に利用し得るものであることにかんがみ、国民主権の理念にのっとり、公文書等の管理に関する基本的事項を定めること等により、行政文書等の適正な管理、歴史公文書等の適切な保存及び利用等を図り、もって行政が適正かつ効率的に運営されるようにするとともに、国及び独立行政法人等の有するその諸活動を現在及び将来の国民に説明する責務が全うされるようにすることを目的とする」

第1条の条文は長い文章になってしまうが、第4条の「意思決定に至る過程並びに当該行政機関の事務及び事業の実績を合理的に跡付け、また検証することができるよう……文書を作成しなければならない」の部分が肝心なところである。

北村大臣は条文を繰り返し読み上げたあと、やっと質問に対して「文書主義です」と答えた。公文書管理法の趣旨は、意思決定の過程を文書にして保存し、歴史として残して検証を可能にすることにある。

先進国は情報公開法が制定される過程で、情報公開の対象となる公文書の管理の重要性に気づいている。情報公開法と公文書管理法はセットで考えるものなのだが、日本ではそこが遅れていた。情報公開を求めても、文書管理のルールを法律で定めていないので省庁ごとの事務に委ねられた。役所は、平気で文書の不存在を言い訳にできたのである。「国民共有の知的資源として、主権者である国民が主体的に利用し得るものであること」が「国民主権」なのである。そうでなければ官僚主権ということになる。

2007年に「消えた年金問題」「C型肝炎関連資料の放置」など公文書管理に関わる不祥事が相次いだことを受け、2008年に福田康夫首相は施政方針演説で「行政文書の管理のあり方を基本から見直し、法制化を検討する」と表明する。翌2009年に立法化され、施行は2011年4月、施行時に行政文書の管理に関するガイドラインも定められた。

国会で安倍首相を追及している立憲民主党・国民民主党など野党も、じつはこの文書主義をつらぬいていなかった。東日本大震災の混乱のなかで右往左往していた民主党政権では、政府中枢での意思決定の議事録がまったく作成されていなかった、という重大な失態が明らかになった。2011年の3・11から1年近く経って議事録や会議録やメモや備忘録が時系列に整理されておらず、行政ファイルに公文書として管理をされていないことが判明するという杜撰さだった。野党・自民党に追及され、岡田克也副総理が責任者となって遡って、手控えのメモ、ファイル、メールから公文書を復元して公表した。

津波や原発事故が起きた3・11は、歴史的な緊急事態と考えてよい。この教訓から特別に「歴史的緊急事態」が発生した際における記録作成のガイドラインがつくられた。「国家・社会として記録を共有すべき歴史的に重要な政策事項であって、社会的な影響が大きく政府全体として対応し、その教訓が将来に生かされるようなもののうち、国民の生命、身体、財産に大規模かつ重大な被害が生じ、または生じるおそれがある緊急事態に政府全体として対応する会議その他の会合」は、文書にして残さなければいけない。

では新型コロナウイルス感染症は、ガイドラインに定められる「歴史的緊急事態」なのか。野党の追及は続いた。

北村担当大臣は「公文書管理のガイドラインに示されております歴史的緊急事態に該当するかどうかについても、事案の推移を注視いたしつつ、社会への影響や国家としての教訓が明らかになった段階で判断するべきものであろうと考えており、現時点で該当しないと判断しているというわけではありません」とどっちつかずの答弁をした。

ガイドラインには「個別の事態が歴史的緊急事態に該当するか否かについては、公文書管理を担当する大臣が閣議等の場で了解を得て判断する」とあるので、ここは北村大臣ではなく安倍首相の判断を待つしかない。

安倍首相は「最終的な判断を行なったのは対策本部においての判断でございます。その過程において、たとえば、連絡会議等々で議論をしている、あるいは専門家の皆様の議論等については、議事概要等であってもどのような方向で議論がなされたかについては、お示しをできるものであろうと思っているところでございます。いずれにいたしましても、法令に則って適切に検証可能なように対処していきたい」と述べた。

翌週の3月9日、野党の質問に対して安倍首相は「国民の生命と健康に重大な影響を与えることが懸念される状況に鑑み……政府として歴史的緊急事態とすることとしたい」と答え、連絡会議の議事録を「可能なかぎり速やかに作成し、報告する」とした（3月10日に歴史的緊急事態が閣議で了解された）。

意思決定の過程を透明化するためには公文書として記録に残して、歴史的検証に堪《た》えられるものにしなければいけないはずだ。日本国の意思決定は、まだまだ説明責任の自覚がうすい。それに気づき求める自覚がメディアにもない。これでよいのだろうか。

【追記】

本書の校了間際の5月28日、新型コロナ対策の専門家会議の議事録が作成されていない事実が判明した。翌29日午後、菅官房長官は記者会見で「専門家会議の議事録はつくらない」と述べた。

その理由として、専門家会議は公文書管理のガイドラインが定める「政策の決定または了解を行わない会議等」に該当するからだと説明し、さらに専門家会議の第1回目の冒頭で、個々人の発言は名前を記さず、議事概要として公表すると「構成員（専門家）に説明し、了解をいただいている」から問題はない、とした。

しかし、この説明はおかしい。専門家会議は直接の政策の決定・了解の場ではないが、政策・了解に資する提言をし、意思決定に反映されているのである。

しかも、この原稿を書いている6月初旬の時点においても、議事録どころか専門家会議の議事概要すら、3月17日・第7回以降は公表されていない。

また対策本部会合の議事概要も3月1日・第16回まではあるが、3月5日・第17回以降は公表されていないのだ。

そのうえで、議事概要か議事録かという問題について述べる。

専門家会議の内容を議事概要として公表することは、個人名を特定されないよう、自由な討議をするうえでの一定の配慮との弁明も成り立たないわけではない。議事概要でも内容の一端は把握できるから。

だがある程度の時間が経過したところで議事録は公開しなければいけない。それが公文書の「文書主義」のあり方である。

3月2日の安倍首相の国会答弁では「専門家の皆様の議論等については、議事概要等であってもどのような方向で議論がなされたかについては、お示しをできるものであろうと思っている」とあり、そう答弁しているにもかかわらず、3カ月以上も経過していてもそれが守られていないのはおかしいのだ。

国家の意思決定のプロセスは、歴史的な検証に堪えられるものにしなければいけない。どの政権であろうと、政府はつねに国民に説明する責任がある。

首相発言だけは官邸ホームページ（総理の一日）にすぐにアップされる。しかし意思決定のための会議は議事概要すら公表されない。このチグハグさに気づかないメディアも問題である。

専門家会議の尾身茂副座長は、専門家会議のメンバーのなかにも議事録を残したいという意見が出ている、と述べた。今後、そうしたらよい。

歴史的緊急事態のなかでの国家の意思決定がこれほど不透明なのであれば、アジア的専制国家の中国とどこが違うのか、程度の差でしかないことになる。

6月7日、西村大臣は「今後開かれる専門会議の議事概要については発言者を明記することにした。これまでの会議は従来どおり発言者記載の記録を作成せず、速記録を保存する」と述べた。なぜ公表は「今後」であって「これまで」ではないのか。これまでの議事概要に発言者に発言者を明記して公開したくない理由があると疑われても仕方がない。おそらく、緊急事態宣言を早く出すべきだという意見が専門家会議で多数出ていたにもかかわらず、政府がそれを渋って決定を遅らせたからではないかと思われる。

公文書の役割

国立公文書館はどこにあるのか？

公文書というものがいかに重要か。「歴史的緊急事態」に見舞われた際に、国家の意思決定を検証する文書が残っていなければいけない。

東京・北の丸公園の隅に国立公文書館というものがある。東京国立近代美術館の隣にあるのだがほとんどの人はその地味な建物に気づかない。地上4階・地下4階（2階4層）と半分が地面の下にあるのは防災のため堅固にしているからだろう。

ワシントンDCにあるアメリカ国立公文書館にも行ったことがある。日本の公文書館と比較にならないほどの巨大な建物で、体育館のような空間の、天井まで届くほど高い棚に、ボックスごとに整理された資料が機能的に並べられていた。まるでその棚は無限の彼方まで続くがごとく見えた。歴史から教訓を導く、という考え方は「近代」のひとつの思想なのだと思われた。

日本人にとってもっとも大きな「歴史的緊急事態」は第二次世界大戦であろう。

なぜ「小国」日本が「大国」アメリカと戦争を始めたのだろうか。僕が公文書館に行った目的は、そこに行けば手がかりがあるだろうとの想いからであった。

ふつうに考えれば、勝てるはずがない、と思う。しかし実際に日本人は「鬼畜米英」を叫び、1941年（昭和16年）12月に真珠湾を奇襲して戦争を始めたのである。

そして1945年（昭和20年）8月15日に昭和天皇の玉音放送が流れて、日本国民310万人が死んだこの戦争の敗北を知ることになる。

毎年夏になると8月15日に終戦記念日の国家行事が開催されるが、僕が子どものころから疑問を抱いていたのは、第一次大戦後には「五大強国」と自負していたにしても、どうして勝てそうにない戦争を仕掛けたのかであった。12月8日の開戦記念日はどこに消えたのか、不可解だった。

当時の国民は、ほんとうに勝てると思っていたのか。軍国主義教育で洗脳されていた、メディアが戦争を煽ったなどの側面があったとしても、それを煽る側の国家運営の当事者が何を考えていたかが問題なのである。

日米開戦の少し前からの動きを高校日本史の教科書で見てみよう。

「日本への石油輸出禁止は続き、日米交渉は妥協点を見出せないまま、1941年（昭和16年）10月、日米交渉の継続をのぞむ近衛文麿首相と、開戦を主張する東條英機陸相とが対立して近衛内閣は総辞職し、東條内閣が成立した。東條内閣は日米交渉を続けつつ開戦準備を始めた。アメリカ合衆国との開戦に躊躇する昭和天皇も、東條首相や陸軍に説得され、最後の交渉をおこなうことになった。……昭和天皇の面前でおこなう御前会議の決定に従い、１９４１年12月8日、日本軍はハワイの真珠湾などを奇襲攻撃し、マレー半島にも上陸して、アメリカ合衆国・イギリスに宣戦布告して太平洋戦争が開始された」（『新日本史B』２０１５年　山川出版社）

教科書ではこのように記述されているが、流れを追っているだけで、なぜ勝てる見込みがないにもかかわらず戦争に踏み込むのか、その葛藤が描かれておらず、どのような討議が為されたのか、疑問に答えてくれていない。教科書に「なぜ？」がない。教育とは「なぜ？」を考えることではないか。

日米開戦にあたってどのような意思決定が行なわれたのか。記録が残されているはずである。記録は公文書というかたちで保存されているはずだ。まず公文書の所在の確認、それから中身の検証の順に始めるのが正攻法であろう。

敗戦で燃やされた戦争関連の資料

僕はどんな議論をして意思決定したのか、その過程を知りたかった。

終戦の日、東京・市ヶ谷の陸軍省からもうもうと煙が渦巻き立ちのぼっていた。中庭はまるで小正月に門松や注連《しめ》飾りや書き初めを燃やすどんど焼きのような光景であった。重要書類がつぎつぎと火のなかに放り込まれていった。霞が関にある海軍省（現、厚生労働省付近）でも同様の光景が見られた。戦争に関するあらゆる書類が火焔となって焼失したのである。

敗戦という非常事態を迎えた日本国にとって、やがて上陸して来るであろう米軍を筆頭とした連合国軍は敵方である。どのような制裁が行なわれるのか不明だからとにかく燃やせる書類は何でも燃やした。

そのなかに昭和16年の開戦にいたる意思決定に関わる重要な会議録も含まれている。これらの資料はもともと公開を前提にはされていない公文書である。そもそも戦前には情報公開という発想がない。情報公開を前提としていなくても、行政資料として保存して役立てようとする意思はあった。なぜなら日清戦争や日露戦争などの記録は残されていたのだから。

だが敗戦国になることは初めての体験であったためか、太平洋戦争にまつわる重要書類はほとんど燃やされた。しかし、混乱の最中であっても歴史資料として保存しなければいけない、という想いを抱く者もいて一部は秘かに持ち出され、分散して保管された。

そうして保存された一部の重要書類は、戦犯を裁いた極東国際軍事裁判が終って動乱の時代が収まると、徐々に国立公文書館や防衛庁戦史室などに収納されるようになった。

また昭和天皇の側近であった木戸幸一内大臣など日米開戦の決定の当事者ら当時の重要人物の日記なども公刊されるようになった。大本営・政府連絡会議や御前会議の議事録は、終戦直後の9月12日に夫妻そろって自決した杉山元参謀総長の『杉山メモ』に克明に記されていた。杉山自身のメモというより、基本的には陸軍の役人が議事の速記を起こして役所としての正確な記録をつけていたのである。敗戦から20年以上が経過した1966年に『木戸幸一日記』が、1967年に『杉山メモ』が相次いで刊行された。

こうして日米開戦の意思決定過程を、すべてではないが、つぶさに覗くことができるようになった。

そこから未来人の特権として、僕は過去の出来事を公式記録から再現して、教訓を引き出すことができたのである。

日米開戦における会議は2種類あり、ひとつは天皇臨席の「御前会議」、もうひとつは「大本営政府連絡会議」である。「御前会議」はいわば決まっている結論を承認し、正当化する儀式的な会議であり、「大本営政府連絡会議」は軍部（統帥部）と政府（内閣）がひとつのテーブルについて最高意思決定をする場である。天皇に帰属するとされた陸・海軍の統帥（作戦など）は、内閣から独立して軍部が担うことが慣習化していたので、日米開戦をするかしないかを決めるためには軍部と内閣との合同会議が必要だった。

そこで僕は公文書（『杉山メモ』）をひもときながら、どのような意思決定がなされたかを検証した。

公文書の周辺には、関係者の日記やメモもあるはずだ。あるいは当事者が生きていればヒアリングをすることもできる。

結論はおいおい述べるが、日米開戦を決めたときの最高意思決定の会議はあやふやなデータに基づいていた、それがいちばん反省しなければならない点であった。そして審議が充分に尽くされないまま、真珠湾奇襲作戦は季節風の関係で12月でないと成功しないという作戦のスケジュールが暗黙裡に優先され、議論が煮詰まらない状態で会議は終わった。きちんと決断して開戦したのではなく、ずるずると時間が流れるなかで空気が醸成されていった。これなら勝てるとして決断したわけでなく、時間切れだから仕方ないという不決断で始めた戦争だった。

新型コロナウイルスの対策をどうするか、今回の意思決定のプロセスは少し大げさかもしれないが、日米開戦における意思決定の失敗の教訓からあまり学んでいないのではないかと思うのだ。

戦前と戦後の連続性

戦前は遠い時代のことではない

当時の国民の日常生活がどのようなものであり、生活水準や意識、新聞などメディアの状況も知る必要がある。

軍国主義だから戦争をした、では大雑把すぎる。言論表現が圧殺されて自由のひとかけらもない北朝鮮のような国だったと思い込んでいる人が少なくないが、実際にはむしろいまの日本とそれほど大きな違いはない。

『この世界の片隅に』というアニメーション映画が、2016年に公開されじわじわと浸透して累計観客動員数が210万人にも達したので、戦争下の日常生活が若い人にも少し理解されるようになった。日米開戦のあとでも、ごくふつうの日常生活が営まれていて、戦争は中国大陸や遠い南方など外地で行なわれていたのである。いよいよ危ないと思うような危機が身近に訪れたのは終戦間近の昭和19年（1944年）末ぐらいより、本土が空襲されるようになってからであった。

いまの自衛隊と違って陸軍・海軍の軍人が威張っていたのは事実だけれど、昭和15年までダンスホールは開いており、銀座では派手な最新ファッションに身をかためたモダンガールが闊歩し、熱心なジャズファンの学生がいた。ハリウッド映画もごくふつうに上映されていた。いまと変わらぬふつうの日本人の日常性があった。『この世界の片隅に』では、主人公の嫁ぎ先の娘が銀座のモダンガール姿で帰省する場面が描かれているのは時代の風俗を織り込むためだろう。

日本がアメリカと戦争をはじめた昭和16年末より、原子爆弾を落とされて戦争に負けた昭和20年までの4年間を、ダルマ落としのようにスコーンと抜くと、風俗やライフスタイルは、ほぼそのままつながるのである。進駐軍と呼ばれたアメリカの占領部隊が現れたからアメリカナイゼーションがはじまったわけではなく、戦前からアメリカ文化は洪水のごとく押し寄せていた。

拙著『ミカドの肖像』や『土地の神話』にすでに繰り返し書いたが、大正12年（1923年）の関東大震災後、江戸の街並みが火災で灰塵に帰した東京では、現在の消費社会につながるライフスタイルが生まれていた。

「大都会を数年でつくりかえることなど不可能だが、映画のセットを時代劇用から現代劇用に置きかえるように、間に合わせてしまった」（拙著『土地の神話』）

この頃つぎつぎと私鉄が誕生して、郊外に路線が延びた。

郊外に暮らして都心へ通勤する人たちはホワイトカラーである。職人は日給だったが、会社に勤める人たちは月給をもらった。お天気しだいで仕事があったりなかったりの戸外ではたらく職人ではなく、コンクリートのビルディングのなかのオフィスに通勤する会社員は月給取りなので収入が安定する。休んでも休まなくても月給をもらう人、それがサラリード・マンで、転じてサラリーマンという和製英語はそのころに端を発している。

高級住宅街として知られる田園調布の宅地が売り出されたのは震災と同時期であった。当時はまだ都心からは遠い感じの郊外住宅で、それなりのサラリーマンなら買える値段で、またたく間に売れた。

山手線が環状運転をはじめたのは大正14年（1925年）、すぐに5分間隔の過密なダイヤが編成されたのは、通勤ラッシュに対応するためだ。始発と終電の時間はいまと変わりない。鉄道というハードにも、ダイヤ編成というソフトにも成熟するだけの歴史的な研鑽をすでに積んでいたのである。地下鉄銀座線上野・浅草間が開通したのは昭和2年（1927年）。東急や西武など都心と郊外の住宅地を結ぶ私鉄の発達は都市人口の急速な増加に見合っていた。

「アメリカの属国になれば楽になる」

橘孝三郎という皇国思想家が昭和7年に千葉へ向かう汽車のなかで農民たち（「純朴その物な村の年寄りの一団」）の会話に耳を傾け、呆れて嘆息し「皇国日本の為め心中、泣きに泣かざるを得なかつた」とこうメモしている。

「どうせならついでに早く日米戦争でもおっぱじまればいいのに」

「ほんたうにさうだ。さうすりあ一景気来るかも知らんからな、所でどうだいこんな有様で勝てると思ふかよ。何しろアメリカは大きいぞ」

「いやそりやどうかわからん。しかし日本の軍隊はなんちゆうても強いからのう」

「そりや世界一にきまつてる。しかし、兵隊は世界一強いにしても、第一軍資金がつゞくまい」

「うむ……」

「とかく戦争といふものは腹がへつてはかなはないぞ」

「うむ、そりやさうだ。だが、どうせまけたつて構つたものぢやねえ、一戦争のるかそるかやつゝけることだ。勝てば勿論こつちのものだ、思ふ存分金をひつたくる、まけたつてアメリカならそんなにひどいこともやるまい、かへつてアメリカの属国になりや楽になるかも知れんぞ」（『日本愛国革新本義』）

「村の年寄りの一団」の会話は、はからずも、「アメリカの属国」として「楽に」なった現代日本の姿を予見していた。

　日本は戦争に負けてアメリカの属国になったことで確かに国民の生活は楽になった。戦後の冷戦構造によって軍事・安全保障に膨大な予算を投入しなくてすみ、朝鮮戦争特需も取り込んで、奇跡的な高度経済成長を遂げた。

庶民はタテマエでは皇国日本を讃え、ホンネでは「私」だけを考えている。為政者が日本人であろうがアメリカ人であろうが、自分たちの生活に変わりがなければよいと思っている。戦前の日本人がみな天皇陛下万歳で生きていたわけではない。

しかし、エリートはそうではないはずだ。アメリカとほんとうに戦争するという発想自体、彼らにとっては現在と同様に、果たして荒唐無稽ではなかったのか。

戦争というものが日清戦争や日露戦争のようないわば合戦として行なわれる時代から、軍事力だけでなく経済力をも含めて総力戦としての様相を帯びたのは第一次世界大戦からであった。

第一次世界大戦は、当時、グレート・ウォーと呼ばれた。のちに第二次世界大戦が勃発したので、第一次、第二次と時間の配列を示す呼び名に変更されたのである。グレート・ウォー、大戦争である。これまでとは様相が異なるのである。1914年から4年間も膠着状態の殲滅《せんめつ》戦を戦い、双方の死者は1700万人に及んだ。ただ規模が大きいだけではない。飛行機、戦車、毒ガス、潜水艦と近代科学による殺戮兵器のイノベーションが進んだ結果、死傷者の数でわかるようにこれまでとは戦争の常識が変わったのである。

イギリスとフランスが、あるいはフランスとドイツが、と二国間の争いごとが武力解決へ向かうケースが、戦争と呼ばれるもののありようであった。ところが新しい型の戦争は、ヨーロッパのほとんどすべての国々の利益が錯綜し絡み合いながら、合従連衡して二派に分かれてぶつかりあい、ヨーロッパ全土が戦場となった。

日本は、日清・日露の二つの戦争をくぐり抜けているが、二国間の戦争しか経験していない。大戦争という事態に対する想像力を持ちあわせていない。第一次世界大戦に参戦はしたが中国・青島《チンタオ》に駐留するドイツ軍を打ち破るぐらいの戦果を挙げただけで、主戦場であるヨーロッパ戦線での惨状を経験しておらず、本格的な総力戦の認識に欠けていた。

総力戦研究所の存在

総力戦研究所のシミュレーション

グレート・ウォー以降、戦争は総力戦となる。先進国ではそのための戦略研究所ができているとの情報は昭和初期から入っていたが、実際に日本に総力戦研究所が設置されたのは昭和16年4月だった。幾度となく国防の観点に立った国家戦略立案に向けた組織の必要性が議論されているにもかかわらず、ズルズル先延ばしされ実際にできたのは情勢が煮詰まった開戦前夜だった。

総力戦研究所は、総力戦に関する調査研究を行うとともに、総力戦の実施に当たる者を教育訓練する内閣直属の機関との位置付けではあったものの、首相官邸脇の坂の下の空き地につくられたのは木造2階建ての急ごしらえの粗末な仮設棟だった。同様に研究所の中身も急ごしらえであった。

1階は職員室と小部屋が6つ。大学のゼミナール室を想定してもらおう。2階は講義室が2つと食堂兼集会室。質素なこぢんまりとしたものだった。あわただしい国際情勢のなかでタイムリーには見えるが、むしろ泥縄式にスタートしたのである。準備もなく予算もない、何をどうするか、さえ決まっていなかった。

総力戦研究所設立の閣議決定は前年8月、開所式までわずか7カ月半だった。その間に、この研究所のコンセプトと、そしてそれにまつわるシステム、人員配置まで決めなければならなかった。陸軍の飯村穣中将が研究所所長になるなどスタッフが決まったのは昭和16年1月、研究生の採用条件が決定したのは2月20日だった。

研究生は軍人なら「少佐、大尉級のもの」なので青年将校、いまなら若手・中堅の課長補佐級のキャリア組である。民間人にも、ほぼそれに見合う経歴が要求された。年齢は「なるべく35歳ぐらいまで」とあった。

総力戦研究所を名乗るなら、陸軍や海軍を含め縦割りの官僚機構を統合する戦略研究機関とするはずが、しだいに構想は骨抜きになり落とし所として研修所に近い姿になった。

選出結果はやや官尊民卑といえなくもない。民間企業からは日本銀行、日本製鉄、三菱鉱業（現・三菱マテリアル）、日本郵船、産業組合中央金庫（現・農林中央金庫）、同盟通信社（現・共同通信社および時事通信社）からそれぞれ1名ずつ、わずか6名にすぎず、ほかはみな官僚であった。

しかし、29名の官僚のうち軍人はわずか5名、文官優位の構成に特徴があった。急遽、選ばれた官僚は、外地の満州国国務院にいた者も朝鮮総督府殖産局にいた者も、辞令一本で駆けつけた。

集められた人材は、いずれもその役所や会社で必ず将来トップとなるだろうと目された人物だった。日銀の佐々木直はロンドン支店という遠方から来た1人だった。佐々木は、戦後、昭和44年（1969年）から5年間、実際に日本銀行総裁になるのである。産業組合中央金庫の窪田角一や同盟通信社の秋葉武雄ら集まった研究生は「ベスト&ブライテスト（最良にして最も聡明な逸材）」なのだった。

平均年齢33歳の研究生のなかには独身者が2名しかいなかった。しかも、各分野での実務経験10年のキャリアの持ち主であるから、右向け右、といっても素直に右を向くわけではない。左向きにならぬまでも斜めの方角あたりで曖昧な姿勢をとる者が多かった。

「いったい何をさせられるのだろう」

言い知れぬ不安は、各地から長い旅を終えて辿り着いた者たちを含めた研究生全員の共通した思いでもあった。

昭和16年4月1日、入所式は首相官邸大広間で行われた。海軍軍楽隊の奏楽で始まり、全員着席と同時に奏楽はやんだ。当時の総理大臣は近衛文麿。のちに日米開戦時の首相となる東條英機は、この近衛内閣の陸軍大臣である。首相が形式的に挨拶をした。

入所から3カ月後、研究生たちは「日米もし戦わば」というシミュレーションを始めることになる。

7月12日、総力戦研究所で研究の一環として模擬内閣がつくられた。

開戦は同じ年の12月8日だから、模擬内閣ができたのはその5カ月前になる。模擬内閣の字面から受ける印象はゲームのような遊びに似た匂いである。しかし、それゆえに、といってよいだろうが、若くて未熟であることに躊躇せず、大胆に核心に急接近していくことができた。

研究生は模擬内閣を構成したが、研究所員（教官）側は演習全体を指揮監督する役割で統帥部（軍部）の役割を演じた。

シミュレーションの想定

早速、統帥権を持つ教官側から、シミュレーションの想定が示された。

「英米の対日本輸出禁止という経済封鎖に直面した場合、南方（オランダの植民地であるインドネシア・ボルネオとスマトラ島など）の資源を武力で確保する方向で切り抜けたら、どうなるか」

6月21日に石油製品対日輸出許可制が完全実施されていた。翌22日にドイツが独ソ不可侵条約を破ってソ連侵攻、7月2日には昭和天皇が臨席する御前会議で南部仏印（ベトナム）進駐が決定された。7月12日に模擬内閣に与えられた想定は、当時の日本国が置かれた状況そのものであった。

この想定では「内外情勢は現状推移とす」とされたが、7月2日の御前会議で決定した「情勢の推移に伴ふ帝国国策要綱」を下敷きにしている。

「推移」とは、「時の移りゆくこと」（『広辞苑』）で、これほど主体が不明確な言葉はない。国際情勢に振り回されずに、明晰な判断力を持ち、主体的決断をどう行使していくか。模擬内閣の閣僚たちは始めから正念場に立たされていた。

このシミュレーションでは、当然のことだが遅かれ早かれ日米開戦を惹起する、と模擬内閣は考えた。ベトナムからさらに南進して仮にオランダからインドネシアの石油を奪い取ったとしても、いざそれを運ぼうとするとフィリピンの米軍基地からはアメリカが、マレーシアやシンガポールからはイギリスが艦隊を出して油槽船（タンカー）を攻撃するだろう。まさに経済封鎖「ABCD包囲陣」と衝突することになり、すなわち英米との戦争を意味する。模擬内閣は、まずこの前提条件を受け入れるか否かで紛糾した。

内務省から研究生として送り込まれた32歳の吉岡恵一〈内務大臣役〉は、7月16日の日記にこう記した。

「2時20分から5時まで演習の閣議をやり総力戦方略を論じた。7時30分～10時、総力戦方略の意見を書き米参戦の場合の措置を研究す」

模擬内閣は連日閣議を開き、日米開戦について論じた。すでに各〈大臣〉はそれぞれの所管について基本的データを揃えていた。インドネシアの油田地帯を占領し石油を確保するまではいい。しかしフィリピン基地から出動したアメリカ艦隊によって、南シナ海または南太平洋において輸送船団が攻撃され船団は壊滅するだろう。

内閣は直ちに外務省より再三アメリカ政府に抗議する。しかし、受け入れられないだろう。日本陸海軍が出動、アメリカ艦隊を撃滅する。日米開戦だ。

「南方に石油を獲りに行くのは、ちょっと無理だよねえ」

模擬内閣の閣僚らは、冷静だった。

なぜなら実際の政府と違った自由な立場で討論できるからである。

彼らは自分の所属している組織から突然、派遣された。だから自分の所属する組織の利害と無関係な立場にある。いっぽう第2次近衛内閣の跡を継いだ第3次近衛内閣は7月18日に組閣を終えたが、総力戦研究所の〈窪田角一内閣〉はそのわずか6日前の7月12日にスタートしている。現実の内閣と模擬内閣は年齢が20歳から30歳も差があったが、ほとんど同時に発足して、対照的な結論に向かい歩を進めていく。ただこの時点で、二つの内閣の閣僚たちは、ともに自らの運命を知る由もなかった。

〈窪田角一内閣〉での激論

「統帥側（教官側）の前提を受け入れると日米開戦必至だが……」

窪田〈総理役〉が口火を切った。千葉皓〈外務大臣役〉が応じた。

「長期戦になるだろう。問題はいつ講和の時期をつかむかだ。しかし、どの国も米英と独伊に分かれてしまうと、有力な第三国が調停にかかわることが不可能となれば、短期決戦で緒戦に勝利して講和に持ち込むという作戦は虫がよすぎる」

〈企画院総裁役〉の玉置敬三、〈商工大臣役〉の野見山勉、〈日銀総裁役〉佐々木直ら経済閣僚は、アメリカと日本の生産力の差を数字をあげながら説いた。

「無理なものは無理だ。ないものねだりさ」という調子である。

「しかし、さらに増税すれば財政的には必ずしも破綻しないよ」

今泉兼寛〈大蔵大臣役〉が反論した。

結局、模擬内閣は、南方に石油を獲りにいくという想定は受け入れられないとの姿勢に傾いた。

窪田〈総理役〉は所員側すなわち〈統帥部〉側にその旨を伝えたが、それでは「南方の資源を武力で確保する方向で切り抜けたら、どうなるか」との「想定」に答えたことにならないとつき返された。

いっぽう現実の世界では、事態は急に切迫してくる。

8月1日、アメリカは石油をはじめ重要物資の対日禁輸に踏みきり、日米交渉の前途はけわしい情勢となっていた。

〈統帥部〉は「想定」をつぎつぎ繰り出す。模擬内閣が答申すると、新しい作戦が〈統帥部〉側から出される、その繰り返しのなかで駒が進められていった。

8月8日、〈統帥部〉から、対米、英、蘭印（インドネシア）戦に入る場合、日本の戦争遂行能力に関し国民精神力、船舶、物資、資金、労務等につき国力判定を行うよう求められた模擬内閣の玉置〈企画院総裁役〉は日本の供給力に関してこう報告した。

「米、英、蘭印（インドネシア）、中南米の輸入途絶」「船舶徴発に伴う近海輸送力の低下」

「労働力及国内輸送力の能率低下」

あまり芳しくない言葉が連ねられている。

さらに困ったことが起きた。インドネシアの警戒水域に日本船舶が抑留、と「想定」が追加されたのである。

もともと血気盛んながらも模擬内閣でその主張が抑えられてきた白井正辰〈陸軍大臣役〉はここぞとばかり、日本は「対米、英全面戦備を速かに完整しつつ圧迫の強化によりインドネシアに対する経済的要求を貫徹」すればいいのだと強硬論のトーンを強めた。

しかし、インドネシアの盟主オランダが応じる様子がないことは目に見えている。「圧迫の強化」とは「1カ月後」の「進出（武力進駐）」だと提案した。

ところが、ほとんどの〈閣僚〉は「3カ月以後が妥当」と、引き延ばし策に出た。

孤立した強硬派の白井〈陸軍大臣役〉は閣議の経過を、こう記している。

「（1カ月後という白井の案と、3カ月後という案が出て）深更に及ぶも決せず。内閣は案を携えて統帥部との交渉に臨み（教官側の要求に従って）『12月1日以後好機を捕捉して対インドネシア武力進出を図る』方策を決定するに至れり」

白井〈陸軍大臣役〉は統帥部の力を借りて、「1カ月」に近い線でインドネシア武力進駐を押し切った。

インドネシアの石油を確保することが前提で始められた「机上演習」は、始めから日米開戦を引き起こしかねない想定だった。

モノが足りない

インドネシア進駐が俎上に上った後、〈統帥部〉がしびれを切らして独走し始めた。8月14日には「11月上・中旬」を想定して「日本の企図は一部米、英、蘭印（インドネシア）に察知されている疑いあり」「統帥部は既定の対蘭印（インドネシア）行動を極力繰上げ決行したき要望を有す」と言ってきたのだ。事態は急を要する展開をみせる。それへの対応をめぐる〈閣議〉が開かれ、窪田〈総理役〉は「なんとか日米開戦を避けたい」と締めくくった。

模擬内閣としては「机上演習」の前提がインドネシアに石油を獲りにいくことなので、同意せざるを得ない。しかし、インドネシア占領は将来日米開戦を惹起することになるとしても、いますぐ、ではない。選択肢は狭められたが、日米交渉に望みをつないだ。

翌8月15日12時、〈統帥部〉から「インドネシア進駐」という「追加情況」が模擬内閣に渡された。

現実には昭和16年12月8日の日米開戦後、翌昭和17年2月14日に日本軍の落下傘部隊がインドネシアの油田を急襲することになる。シミュレーションではインドネシア進駐後に日米関係が緊迫化し、開戦することになるから、順序が逆になっている。

模擬内閣の〈経済閣僚〉らが、開戦に拒否反応を示したのは、彼らが数字でモノを考える習性をもっていたためである。

〈企画院総裁役〉の玉置敬二は、総力戦研究所の研究生になる直前まで商工省物価局にいた。

「物資動員計画には陸海軍からも出向してきていた。彼らといっしょに物動計画の作業を毎日やっていたから、鉄とかアルミニウムの製造能力がどのくらいなのか頭に叩きこんであった。それを5倍にしたり5分の1にしたりすることは、やれ、といってもできない」

同じく商工省出身で〈商工大臣役〉の野見山勉もつぎのように思った。

「戦争すべきでないというより以前に、これはできないということを、軍需省や商工省のテクノクラートなら誰でも知っていた。統監部が強圧的に開戦を求めない限り、経済関係の研究生ならば答えは当然否であった」

昭和16年といえば、カネがあってもモノが買えない状態、つまり統制経済の時代に入りつつあった。社会主義経済の変形である。人間の消費を抑制するのは価格ではなく配給というコントロールであった。そのためには日常生活物資をきちんと確保して供給しなければならない。

〈日銀総裁役〉の佐々木直が解説する。

「国際収支とか外貨準備という問題は、戦争状態のなかでタナ上げされている。貿易とはこちらの綿布など工業製品をあちらの錫とかゴムなどと物々交換する、ということで極端にいえば貨幣のなかだちを必要としない。国内でも同じことです。戦争遂行も、カネじゃなくて、モノをどこまで確保していくかにかかっていた」

総力戦は単に武力戦だけではなく、経済力を含めた国力の差によって決定することになるから、モノについての数字がキーポイントとなるのだ。しかも彼ら研究生は、その数字を出身官庁や企業で毎日いじっていた。いざとなれば、歩いて数分の元の職場に行き、極秘データを持ち寄ることもできたのである。

たとえば、〈海軍次官役〉の武市義雄海軍少佐は、「製品と原料との相互関係」というテーマでレポートを書いた。総力戦研究所の専用箋9枚に「本邦重要原料資源自給度」として添付された表には、数字がびっしり詰まっている。

原油の内地自給度16パーセント、工業塩22・6パーセント、鉄鉱石28・5パーセント、アルミニウム53パーセント……。

内務省出身の吉岡恵一〈内務大臣役〉のレポートは「生産拡充に伴う企業の形態及び規模の変化及びその影響、純経済的部門以外の部門に於ける影響」との長いタイトルだが、カネでなくモノでコントロールする統制経済の脆弱さに対する危機意識に満ちていた。

また「生産力拡充計画の実行に伴う各産業の形態、規模の変化、影響」という窪田角一〈総理役〉のレポートも、統制経済による中小企業の動揺を指摘した。さらに産業組合中金（現・農林中金）出身だけに、多数の兵士を送り出した農村では「都市、工場、鉱山への労働力の移動が顕著で、農業労働力は、質、量とも一大減少をきたす」と、農村の崩壊に触れる。

陸軍で会計を扱う主計将校で〈陸軍次官役〉を演じた岡村峻少佐の現状認識は、タメ息ばかりであった。まず鉱工業部門の停滞を指摘し、その原因として原料不足と労働力不足、燃料の石炭不足、さらにアメリカの鉄鋼、屑鉄などの対日輸出の禁止を挙げている。

佐々木〈日銀総裁役〉のレポートは説得力に満ちている。

小麦・米・肉などの食料。鉄・銅・アルミなどの工業原料。綿花・羊毛の衣料。石炭・石油・ゴムなど21品目の自給能力を各国別に分析、これを比較して国力差を出してみると、自給率の高いのは米・ソ・独の順で、イギリスは帝国全体ではソ連の自給率を超すものもある、と俯瞰したあと品物別に需給状態を比較する。

「アメリカは銅をのぞいていずれも日本の7倍以上、石油32倍、ソ連の6倍……」

産業構造を重化学工業化へ転換し始めたとはいえ、日本が3位までに顔を出すのは米・ソに次ぐ綿花だけで、あとすべての需給量は最下位にある。結局これら物資自給力の差が「国防資源自給能力総体の優劣を決定づける」と断定した。

こうして模擬内閣はデータとロジックで閣議を進めたが、後述するが現実の内閣はそうではなかった。

戦闘より輸送が重要

さて〈統帥部〉の想定に応じ、模擬内閣は、不承不承だが「日米開戦」に踏み切った。アメリカと戦争をやってどこまでもつか、模擬内閣閣僚たちの新しい関心事である。とにかくインドネシア占領で、石油や鉄鋼などの資源が供給される見通しが出てきた。ただABCD包囲陣の強行突破ははたしてうまくいくか。

〈経済閣僚〉が開戦に異議を唱え南方進出を懸念した積極的理由はシーレーン、すなわち物資の海上交通路の確保が不可能との懸念だった。インドネシアを占領して石油をタンカーに船積みしても、フィリピンのアメリカ艦隊に撃沈されれば、まったく意味がない。玉置〈企画院総裁役〉は、「インドシナ海や東シナ海を瀬戸内海と同じように自由に航行できると考えるのはまちがい」と主張した。

日本郵船から出向していた前田勝二〈企画院次長役〉は、シアトル、ロンドン駐在員を経験し世界の船舶事情に通じていた。そればかりか、イギリス船がドイツ潜水艦に撃沈された様子を見聞していた。保険の計算も彼の重要な業務なのである。

「昭和16年当時、わが国の商船保有量は300万トンでした。そのうちタンカーは1割しかなく、あとは石油をドラム缶に入れて積んでくるしかない。戦争が始まれば、商船隊は沈められます。問題は船舶消耗量をどう予想するかです」

前田〈企画院次長役〉はロンドン駐在の体験から、世界的に有名なロンドンの保険業者集団ロイズのデータをもっていた。この「ロイズ・レジスター船舶統計」をもとに計算したところ、日米戦に突入した場合の船舶消耗量は年に「120万トン」。造船能力は多く見積もって年に「60万トン」。「造船量」（60万トン）からマイナス「船舶消耗量」（120万トン）では年間「60万トン」は減っていく計算になる。3年で180万トンの減少で、商船保有量300万トンの約3分の2が沈んでしまう。南方資源を穴のあいたバケツのリレーに託すようなものだ。この数字では、とても長期戦には耐えられない。

前田〈企画院次長役〉は以上の数字を閣議に提出した。

「戦争はやっぱりダメか」

〈経済閣僚〉が出す数字は感傷的な気分を一掃するものだった。

ちなみに『日本商船隊戦時遭難史』（財団法人海上労働協会、昭和37年刊）によると、実際に日米開戦後、昭和17年度89万トン、18年度167万トンの船が沈められた。両年度の平均船舶喪失量は前田〈企画院次長役〉の予想した数字「120万トン」とほぼ同じだった。なお19年度は369万トンで、日本商船隊は全滅している。

インドネシアからの石油にも期待できず、もはや石油備蓄も底をついた。戦争は長期戦となり、最終局面でソ連が参戦する、と模擬内閣は予測した。

こうして模擬内閣は総辞職を決断する。昭和16年8月23日のことだった。7月12日の模擬内閣発足からわずか40日あまりであった。

日米開戦の意思決定

公文書から歴史を再生できる

総力戦研究所というものが存在し、30代前半の世代のエリートたちが、日米戦日本必敗の結論を出していた、と1983年（昭和58年）に『昭和16年夏の敗戦』に書いたら、どうしてあんな軍部専横の暗黒時代にそのようなことができたのか、と疑問をもたれた。だがすでに述べたように戦前の日本人の思想と行動も戦後の日本人のそれも大きな違いがない。

汽車のなかの「純朴その物な村の年寄りの一団」は、いまならひとつ間違えれば新型コロナウイルス騒動でトイレットペーパーの買い占めに走るかもしれない。だが総力戦研究所の研究生は、冷静にファクトとロジックで考える思考を身につけている。いまもそうした知性は引き継がれてはいる。戦前と戦後は断絶しているようでいて連続性もある。

ということは戦前の失敗を戦後も繰り返している可能性も高いわけだ。こと戦争だから違うわけではない。風景は異なっても同じような過ちを我われは繰り返しているのではないかと考えるべきだろう。

総力戦研究所に関する資料は少なく「机上演習」のやりとりを再現することは困難をきわめた。

極東国際軍事裁判では、総力戦研究所が好戦的な研究機関として誤解されたかたちで追及された。だが資料の一部は時系列がでたらめの順序で読み上げられたのだ。だから、僕は極東国際軍事裁判記録から組み立て直して総力戦研究所の軌跡を再現した。国立公文書館に、アメリカからの返還文書として研究生が提出したレポートが保管されていたので研究内容をつかむことができた。また僕がこうした歴史の再現を目指していた30代、総力戦研究所の研究生は70代で存命している方も少なくなかったので訪ね歩きヒアリングに協力いただいた。メモや日記を提供してくれた研究生もおられた。

1941年の夏に存在した限られた時空を再現することができたのは、文書による記録と記憶による証言であった。我われは条件さえ整えば、いつでも歴史から学び、教訓を得ることができるのだ。

そしてただいま現在起きていることを記録して未来へ転送することもできる。

だが残念ながら、日本人は歴史の一過程のなかにある役割をもって自分が存在しているとの意識が希薄である。ステレオタイプの歴史観では、戦前は悪・狂信的、天皇主権、戦後は善・民主主義、国民主権との図式でしか考えない。それでは教訓を得ることはできない。戦前も官僚主権、戦後も官僚主権と連続している部分も気づかなければいけない。

今回の新型コロナウイルス騒動にみる最高意思決定は、「連絡会議」と「御前会議」を使い分け、ファクトとロジックによる説明が足りず、きわめて不透明かつ空疎な内容で構成されていた。

歴史から学ぶとしたら、総力戦研究所は日米戦日本必敗の結論を出して〝内閣総辞職〟に追い込まれたが、実際の内閣はそうでなく勝ち目のない戦争に突入してしまったのはなぜか、である。

首相官邸大広間でのプレゼンテーション

場面を再び総力戦研究所に戻そう。

歴史にはつねに逆転の可能性がある。総力戦研究所の研究発表は昭和16年8月27日、28日の両日、首相官邸の大広間で行われた。

二つの内閣が一瞬だけ交錯した。いっぽうは第3次近衛内閣。もうひとつは平均年齢33歳の総力戦研究所研究生で組織する〈窪田角一内閣〉である。

模擬内閣が到達した結論は「12月中旬、奇襲作戦を敢行し、成功しても緒戦の勝利は見込まれるが、しかし、物量において劣勢な日本の勝機はない。戦争は長期戦になり、終局ソ連参戦を迎え、日本は敗れる。だから日米開戦はなんとしてでも避けねばならない」であった（原爆投下以外のすべての実際のプロセスを予見していた）。

午前9時に始まった〈窪田内閣〉の〈閣議報告〉はえんえん午後6時まで続いた。東條陸相は真剣な面持ちで始めから終わりまでメモを取る手を休めなかった。まず〈総理大臣役〉窪田角一は〈施政方針演説〉のあと、机上演習のおおまかな結論を述べた。そのあと一人ずつ順ぐりに発表していく。〈閣僚〉たちの各論は、ストレートな表現が避けられていたが、おおむね彼らが〈閣議〉で報告した内容だった。翌28日も午前9時から夕方6時30分まで報告がつづき、最後に飯村所長の講評で終えた。

2日間にわたり克明にメモを取っていた東條陸相が立ち上がった。いつものように右腕を後ろに回し、前方に差し出した左手にメモ帳を広げそれをチラチラ眺めながらカン高い声を発した。東條の表情が蒼ざめこめかみが心もち震えていた。

「諸君の研究の労を多とするが、これはあくまでも机上の演習でありまして、実際の戦争というものは、君たちの考えているようなものではないのであります。日露戦争でわが大日本帝国は、勝てるとは思わなかった。しかし、勝ったのであります。あの当時も列強による三国干渉で、止むにやまれず帝国は立ち上がったのでありまして、勝てる戦争だからと思ってやったのではなかった。戦というものは、計画通りにいかない。意外裡なことが勝利につながっていく。したがって、君たちの考えていることは、机上の空論とはいわないとしても、あくまでも、その意外裡の要素というものをば考慮したものではないのでありります。なお、この机上演習の経過を、諸君は軽はずみに口外してはならぬということでありますッ」

帰途、通信社記者の秋葉〈情報局総裁役〉は、持ち前の勘で解説してみせた。

「東條さんの考えている実際の戦況は、われわれの演習と相当近いものだったんじゃないのかい。じゃなければ、〝口外するな〟なんていわんよ」

確かに、演習の間、しばしば、東條陸相は、総力戦研究所の講堂の隅に陣取り〈閣議〉を傍聴していた。

実際、東條は総力戦研究所に深い関心を寄せていた数少ない首脳の一人だった。その頃の東條のブレーンは、武藤章中将（陸軍省軍務局長。極東国際軍事裁判で死刑）を筆頭に、佐藤賢了中将（軍務課長。同裁判で終身刑、後釈放）、真田穣一郎大佐（軍事課長）、西浦進大佐（軍事課高級課員）、石井秋穂中佐（軍務課高級課員）であった。

そのうち西浦は、総力戦研究所創立に奔走した立役者だった。彼が研究所の意義を東條に説いたであろうことは想像に難くない。そのため東條は総力戦研究所の机上演習の行方が気にかかっていたのだろう。そうであってみれば、机上演習を「机上の空論」と断定してみたものの、その結論はその後の東條の脳裏に、暗い雲のように重くのしかかっていたはずである。

近衛内閣から東條内閣へ

模擬内閣のプレゼンテーションが行なわれた9日後、9月6日に天皇臨席の「御前会議」が開かれた。そこで日米開戦止むなし、との有名な「帝国国策遂行要領」が承認されている。

「帝国国策遂行要領」は10月下旬に日米開戦を予定する厳しい内容だった。

「御前会議」では天皇は発言しないことになっていた。〝君臨すれども統治せず〟が明治憲法の運用原則であった。昭和天皇は、あらかじめ用意した明治天皇御製の歌を詠むしか表現方法がない。

　四方の海　みな同胞《はらから》と思ふ世に　など波風の　立ちさわぐらむ

そしてひと言つけ加えた。

「朕《ちん》は常にこの御製を拝誦して、（明治）大帝の平和愛好の御精神を紹述せむと努めて居るものである」

あえて、こういう発言をしたとされている。

この決定については主戦派といわれた陸軍省と統帥部（大本営参謀本部・軍令部）が、和平派の近衛文麿首相、海軍出身の豊田貞次郎外相らを押し切った。

それから1カ月後の10月12日午後2時。荻外荘（荻窪の近衛私邸）で近衛首相、東條陸相、及川（古志郎）海相、豊田外相、鈴木（貞一）企画院総裁の五相会談が開かれた。日米交渉をどうするか、というテーマで話し合いが始まった。10月中旬までに交渉妥結が可能なのか、論議の焦点である。

「陸軍が支那撤兵を考えてくれないと……」と豊田外相、それを東條陸相はつっぱねる。

「それは譲れない。9月6日の御前会議で言わないで、なぜいま言うのだ」

近衛はさじを投げた。

「戦争には自信がない。自信ある人でおやりなさい」

荻外荘会談は4時間もつづいたが堂々めぐりだった。

「御前会議」の決定の成り行きは手続きを踏んでいる。「帝国国策要領」を覆すとしたら再び別の内閣で、手続きをやり直すしかない。

昭和天皇は困ったな、やり直すにはどうしたらよいか、と〝御側《おそば》用人〟の役回りを演じていた側近の木戸（幸一）内大臣に検討するよう指示した。木戸内大臣は、いちばん戦争をやりたがっている陸軍の急先鋒の東條を総理大臣に指名してやらせないように諭せばよいのではないか、と提案した。昭和天皇も「虎穴に入らずんば虎子を得ずだな」と、なるほど、と思うのである。リスクを取れば成功するかもしれない、と気づいた。

逆に、もうリスクを取らないと戦争は止められないのだ。東條は正直者で生真面目、天皇に対する忠誠心は人一倍強い。そこを木戸は見抜いている。

10月17日午後3時30分。東條は陸相官邸で杉山元参謀総長と会議の途中で、「すぐ参内するように」と木戸内大臣から電話を受ける。

恐る恐る御前に出た。昭和天皇は高音で独特の抑揚がある。その言葉は東條にとって青天の霹靂だった。

「卿に内閣組織を命ず。憲法の条規を遵守するよう。時局は極めて重大なる事態に直面せるものと思う。この際、陸海軍はその協力を一層密にすることを留意せよ。なお後刻海軍大臣を召し、この旨を話すつもりである」

日米開戦を避けたいという昭和天皇の意を受けた東條は組閣にあたって蔵相と外相にこだわった。

賀屋興宣蔵相は、蔵相を引き受けるにあたって東條の本心が「開戦決意」か「否」かに固執した。国債に依存した戦時経済の進行は、大蔵官僚出身の賀屋の〝職業倫理〟に反する。東郷外相は前駐ソ大使であり外務省の長老でもある。「懸案事項に譲歩の用意がなければ日米交渉はできない」と和平論者の東郷は主張した。「近衛内閣崩壊の原因はあんたにある。そのことを無視していては応じられない」と外相就任を拒否したが、東條は陸相時代といまとはちがうのだという説明をした。「それなら」ということで東郷はたたみこんできた。

「陸軍が支那駐兵問題について従来どおりの強硬な態度をとりつづけるなら、交渉挫折は明らかだ。交渉は無意味になる。外相をやれるとしたら、陸軍が相当の譲歩をする用意がなければできない」

東條は「支那撤兵を含めて日米交渉を再検討する」と言明したので、東郷はようやく応じた。内閣の性格を最もよく表す外相、蔵相ともに、「条件つき」であったことは銘記すべきだろう。

陸相と内相は東條首相の兼任となったが、前例のない権力集中にはちがいなかった。のちの歴史教科書では、この権力集中を指して〝東條独裁〟と表現するが、少なくとも開戦まで50余日間の東條は独裁者とはいい難い。内務大臣を兼任した理由は、「和平」に傾斜したときの治安問題に対する備えであった。当時の警察は内務省の一部門である。「和平」という結論が出れば、若手将校によるクーデターか、右翼による要人暗殺が起きかねない形勢にあった。

東條に組閣が命じられたとき『大本営戦争日誌』（参謀本部戦争指導班）は「遂にサイは投げられたるか」と、歓喜し開戦を期待していた。しかし、その後の東條の〝変節〟をこう記し、期待から落胆と憤慨に変わっていく。

「東條陸相が総理となるや、お上（天皇）をうんぬんして決意を変更し、近衛と同様の態度をとるとは如何、東條陸相に節操ありや否や」

突然、総理大臣にされた東條は、昭和天皇の意向を実質的な日本の最高意思決定機関である大本営・政府連絡会議に反映させ、戦争回避あるいは遅延の方向で検討しなければならないと思っていた。戦争をやるか、やらないか、という議論をもう一回やる。そこで数字がどんどん、どんどん出てくる。数字で決めるしかない。

戦争ができるかできないかは数字で決まる

東條内閣の発足から6日目の10月23日から、「国策遂行要領再検討に関する件」つまり日米開戦再検討のための大本営政府連絡会議は連日開かれ、11月1日（正確には11月2日午前1時30分）までつづいた。

連絡会議の攻防は「主要物資の需給見込」の根拠を示す数字をめぐってヤマ場を迎えたのである。会議の発言内容は『杉山メモ』に記録されている。

統帥側で海軍を代表する永野修身軍令部総長は、アメリカの禁輸措置のせいで、石油は1時間に400トンも減っていく。結論を急がねば、と主張していた。

10月27日の連絡会議で海軍省整備局長は、11月に開戦すればガソリンはインドネシアより獲るものを加えて30カ月、翌年3月開戦の場合には21カ月分保有できると説明した。つまり早めに開戦し、インドネシアの石油を獲得すれば、3年はもつ、3月開戦だと2年もたない。連絡会議は重苦しい空気に包まれたはずである。

賀屋蔵相が「物資についてだが、戦争した場合、しないでこのまま推移した場合、それぞれどうなるか。数量的に知りたい。その点で納得できないと……」という発言を何度も繰り返した。蔵相の立場とすれば当然だが、これが統帥部を苛立たせる。

統帥側が強硬に開戦を主張した。いっぽう天皇から開戦回避の意思を示されていた東條首相を筆頭に、賀屋や東郷ら開戦反対派はデータを頼りに統帥部に抗していこうという姿勢で企画院の資料に頼ろうとした。

10月29日に鈴木企画院総裁は「南方作戦遂行の場合、液体燃料如何」との質問にデータを挙げて答えた。だが企画院の提出する数字がくせものだった。

「第1年目・255万トン、第2年目・15万トン、第3年目・70万トン、それぞれ残る」「残る」ということは、〝戦争遂行能力あり〟を意味する。すでに連絡会議では、このまま推移すると石油のストックは2年間で底をつくこととされた。しかし、南方油田（オランダ領インドネシア）を占領すれば石油は「残る」のである。

日米開戦反対派の喰い下がりの唯一の根拠は、こうして消滅していく。

だがシーレーンの確保については軽視されていた。戦艦や戦闘機が石油を消費しても、南方から新たに供給すれば「残る」としているだけで、石油を日本まで無事に運べるかどうかは明示されていない。もっとも肝心なデータがインプットされていない。

総力戦研究所の摸擬内閣の〈企画院次長〉は、戦争をした場合の船舶消耗量の多さを根拠に石油は届かず、「日米戦必敗」の結論を出した。

11月5日の御前会議で鈴木総裁は、軍が年間船舶消耗を100～80万トンに抑える作戦指導を徹底しなければ対米戦争遂行能力がわが国にない、と示した。後述するがその4日前の11月1日の連絡会議で日米開戦が決められている。日米開戦が決まってしまってから弁明しても意味はない。実際の戦争では、商船護送作戦は各艦隊がおのおの独自に実施したにすぎず、護送作戦を統轄するべき中央機構はつくられなかった。南方武力進出にとって最も肝心な点のデータの徹底した分析を欠如させたまま日米開戦へと突入していくことになるのである。

総力戦研究所の模擬内閣では、インドネシアで獲得した石油が日本へ届くか否か、それが最大の焦点であったにもかかわらず。

秀才型官僚・東條の限界

連絡会議では、10月29日に石油は「残る」、つまり戦争はできると決着がついた翌30日、日米交渉は果たして妥結できる見通しがあるかないのか、で沸騰した。東郷外相は「支那撤兵」について「撤兵しても、経済は経済で成り立てばいいではないか」と説得したが統帥部側は「現実を忘れた主張をせり」と嘲笑した。「アメリカ側の提案を全面的に容認したら日本はどうなるか」という議題も、論議された。会議は沈痛な空気につつまれた。三つの案が出た。

第1案　戦争することなく臥薪嘗胆す。

第2案　ただちに開戦を決意し戦争により解決す。

第3案　戦争決意の下に作戦準備と外交を併行せしむ（外交を成功せしむる様にやってみたい）。

11月1日は結論を出す日である。連絡会議は午前9時から始まり、じつに17時間に及び翌2日の午前1時半までかかった。参謀本部（大本営陸軍部）は当然第2案の「即開戦」を主張した。開戦日は「12月初頭」とまで具体的に提起した。すると旗幟不鮮明だった軍令部側（大本営海軍部）がここにきて「11月20日までなら外交交渉をやってもいい」と言い出した。

真珠湾奇襲作戦を成功させるとしたら、気象条件からみて12月中旬までがリミット、というのが海軍側のホンネである。海軍側はストレートに「作戦」の内容を言わないで、間接的に巧みな意思表示をした。「ならば」というわけで陸軍側は「11月13日だ。それ以上は困る」と対抗した。東郷外相は「期日を決められては外交などできない」と反論するしかない。大激論の末、参謀本部側の結論は「11月30日までなら外交をやってもいい」であった。

11月1日の深夜、連絡会議はついに日米開戦を決めた。

11月5日の御前会議は、1日の連絡会議の内容を追認したが、「対米交渉が12月1日午前零時までに成功すれば武力発動を中止する」という一項が入れられた。

11月28日の閣議で東郷外相から「ハル・ノート」（アメリカのコーデル・ハル国務長官の強硬な新提案で、満州事変以前の状態への復帰を求められていた）の全容が報告された。ちぐはぐな意思決定、拙劣な外交が「ハル・ノート」という結果を招いたのである。

11月30日、この年10回目の連絡会議が開かれた。そこで「12月1日午後2時」より御前会議を開催することが決定された。日米開戦は12月8日である。

こうした迫真のやりとりが再現・検証できたのも公文書が残されたからだ。

鈴木企画院総裁の悔恨

先日、仕事場の大掃除をしていたら、物置から取材の時のメモが出てきた。鈴木貞一に1982年（昭和57年）夏に面会したときのものだ。彼は当時93歳。鷹のような鋭い眼で35歳の若造の僕をにらみつけた。耳が遠かったので、画用紙にサインペンで質問を大きく書いて渡し、答えてもらった。いろいろと問いただすうちに、用意した紙がなくなって、その辺にあった「大安売り」のチラシの裏面を使って取材を続けたことなど、手元に残されたその紙を見ていると、まざまざとその取材の様子がよみがえってきた。

鈴木貞一は元陸軍中将。近衛内閣、東條内閣で企画院総裁を務めた後、戦時中は貴族院議員や大政翼賛会理事、労働組合を統制する大日本産業報国会の会長などを務めた。

企画院総裁としてデータのつじつま合わせに加担した鈴木は、戦後をどう生きたかをひととおり確認しておこう。

開戦時の東條内閣の一員ということでA級戦犯として終身禁固の判決が下され、巣鴨プリズンに収容された。昭和30年に仮釈放、その3年後には赦免された。

陽盛りの農村の真昼は、昭和20年のその日のように、蝉しぐれだった。成田空港に近い田園地帯に鈴木が隠棲する庵を僕が訪れたのは『昭和16年夏の敗戦』を仕上げようとしていた1982年8月15日、37回目の終戦記念日であった。鈴木はすでに妻を亡くしており、役職にもつかずひっそりと暮らしていた。杉木立や竹林が茂って緑の固まりになって点在するさまは、黄金色の早稲の穂が実る沃野に浮かぶ島のようでもある。

のどかな田園風景、というところだが少しちがう。その付近では大型ジェット旅客機の金属音が、地上の空気を引き裂くように響く。数千キロ、数万キロの海の彼方から大量の油を消費して訪れる巨大な怪鳥たちは尖端文明の象徴であり、風に揺れる稲穂ははるか以前からつづく人びとの暮らしの糧である。

悠久の大地の一隅、背後に森を置いた小さな平屋が鈴木貞一の住処である。早朝5時に起床して、30分間座禅を組み、オートミールを大匙2杯食べ、配達される「朝日」、「毎日」、「読売」、「日経」の各紙を読みスクラップするのが日課である。強い好奇心はいささかも衰えず、とても93歳と思えない。

そのときのやり取りは興味深いので、以下に引用する。鈴木は耳が遠いため質問は繰り返し紙に書いては続けた。

——企画院総裁の提出した数字は「やる」ためのつじつま合わせに使われたと思うが、その数字は「客観的」といえますか。

「客観的だよ。戦にならないように、と考えてデータを出したつもりだ」

——でも石油は南方進出した場合のみに「残る」とでていたが……。

「戦争を何年やるか、という問題なんだ。仕掛けたあとは緒戦に勝利して、すぐに講和にもっていく。その戦はせいぜい1年か2年。そうすれば石油は多少残る、と踏んでいた」

——しかし、3年間分の数字が提出された。

「とにかく、僕は憂鬱だったんだよ。やるかやらんかといえば、もうやることに決まっていたようなものだった。やるためにつじつまを合わせるようになっていたんだ。僕の腹の中では戦をやるという気はないんだから」

――「やる」「やらん」ともめている時に、やる気がない人が、なぜ「やれる」という数字を出したのか。

「企画院総裁としては数字を出さなければならん」

――「客観的」でない数字でもか。

「企画院はただデータを出して、物的資源はこのような状態になっている、あとは陸海軍の判断に任す、というわけで、やったほうがいいとか、やらんほうがいいとかはいえない。みんなが判断できるようにデータを出しただけなんだ」

――質問の答えになっていないと思うが、そのデータに問題はなかったか、と訊いているのです。

「そう、そう、問題なんだよ。海軍は1年たてば石油がなくなるので戦はできなくなるが、いまのうちなら勝てる、とほのめかすんだな。だったらいまやるのも仕方ない、とみんなが思い始めていた。そういうムードで企画院に資料を出せ、というわけなんだな」

鈴木貞一の述べた「ムード」もまた、開戦反対派の口を封じてしまったのだろうか。しかし、孤立しても主張すべきを主張したら局面は打開できた可能性はわずかながら残されていた。彼は和平派のはずだったが、様子を見ながら、ほんの少し、さじ加減をした。そのほんの少しが世界を一変させるのである。

鈴木貞一は年号が平成と変わった元年（1989年）7月、老衰のため100歳でなくなった。A級戦犯最後の生き残りだった。

問われるリーダーシップ

不透明な意思決定

これまで、公文書を手がかりにして日米開戦をめぐる意思決定を検証してきたが、そこでわかったことは、意思決定の根拠があやふやであったことだ。

いっぽう総力戦研究所の研究生の模擬内閣が「日米戦日本必敗」の結論に到達できたのは、曇りのない眼でものを突き詰めるファクトとロジックの力があったからだ。しかし、そうした知性も実際の意思決定でいかされることはなく、むしろ鈴木企画院総裁が提出したデータに象徴されるように、ムードに沿うかたちでファクトもロジックも歪められていった。大本営政府連絡会議の開戦反対派はそこで敗れてしまったのだ。

新型コロナウイルス感染症は3月10日に「歴史的緊急事態」と認定されたので、関連する会議の議事録などの作成が義務づけられることになった。今後、出席者の録音やメモなどをもとにして新型コロナウイルス対策本部に先立つ「連絡会議」の議事録も作成されていくことになる（菅官房長官は翌11日の記者会見では、「連絡会議」について「議事録作成の対象に含まれない」としていたが、19日の記者会見で「議論した記録を可能な限り速やかに作成したい。ガイドラインにのっとって適切に、検証可能なように対応したい」と言い直した)。ただし「連絡会議」の議事録がつくられたとしても、事前にあった安倍首相と今井秘書官兼補佐官の密談は記録されない。

安倍首相は新型コロナウイルス対策本部で一斉休校を「決断」した。しかし、その「決断」がどのようなファクトとロジックに基づいているのか、開示されていないし、記者会見でも説明がなかった。文書にせよ、安倍首相自身の言葉にせよ、安倍首相の「決断」を検証するロジックが開示されないため、国民はその言葉をロジック以外のもので受け止めなければならない。

政治的リーダーの役割は、日本国の統治機構のリーダーとしてファクトとロジックにもとづきながら新型コロナウイルスの対策を行うこと、そして、それをみずからの言葉で国民に説明して、不安に落ち込む世論に対して行程表を示しながら主体的に働きかけていくことなのだ。その説明がない限り、政府がどのように判断し、対策を執行しているのかが国民にはわからず、ひたすら情緒に覆われた空気だけが醸成されていくことになる。

遅れた緊急事態宣言

一斉休校のつぎのヤマ場は、新型インフルエンザ等特別措置法の改正・施行によって許された伝家の宝刀である緊急事態宣言がいつ出されるかであった。

施行日の3月14日土曜日に、一斉休校を決めた2月29日以来の首相記者会見が実施された。2月29日は20分の説明と15分の質疑応答で、時間が短いと批判されたが、この日は20分の説明に対して質疑応答を30分間と増やした。ただプロンプターを見ながらよどみなくしゃべってはいても、国民へカメラ目線で訴えていないので緊迫感が伝わらないのだ。安倍首相は、特措法を「あくまで万が一のための備え」と述べている。実際に「万が一」がその意味の通り、万に一つの可能性にしか感じられない。

同じ時期、フランスのマクロン大統領は（3月16日に）「3月17日から全土で外出制限を実施する、我われは（ウィルスとの）戦争状態にある」とカメラ目線で力強く国民に向かってテレビ演説で訴えた。記者会見とは違う。またドイツのメルケル首相も（3月18日に）テレビ演説で「第二次大戦以来、最大の試練」と国民の結束を促した。しばしば舌禍で物議を醸すトランプ大統領の記者会見でも（3月18日に）「自分は戦時の大統領だと思っている」と、戦争になぞらえた。主要な都市は外出禁止、違反すれば罰金となっている。

安倍首相は会見で「現時点では、国内の感染状況を踏まえれば緊急事態宣言を出すような状況ではない」と述べていた。たしかに日本の感染者数は1000人以下で万単位の欧米諸国とは違う。そうかもしれないが、マクロン大統領やメルケル首相らのような「戦争」と較べる歴史意識としての発言はない。

3月19日の専門家会議では「ロックダウン（都市封鎖）」の言葉も飛び出している。

ロックダウンとは「数週間の間、都市を封鎖したり、強制的な外出禁止の措置や生活必需品以外の店舗封鎖などを行う、強硬な措置」であり、それしか感染爆発を防げないとした。

3月20日金曜日の春分の日、21日の土曜、22日の日曜と三連休が控えていた。いまでもこの三連休での気の緩み、絶好の花見シーズンとしての人出が、後々の感染者数の増加につながったと指摘されている。

吉村洋文・大阪府知事は連休中に神戸市など兵庫県へ行くな、と訴えた。数値データを挙げながら、ツイッター上に「見えないクラスター連鎖が増加しつつあり、感染の急激な増加がすでに始まっていると考えられる」と厚労省が持ってきた非公開の文書を公開した。危機感はあった。

しかし、連休初日に対策本部会合が開かれたが、わずか14分間であった。首相発言は公開されているが、「新学期を迎える学校の再開に向けて、具体的な方針を、できるかぎり早急に文科省でとりまとめるように」と、慌ててやらなくてもよかった一斉休校に対して、今度は休校を延長しなければならない状況下で逆の方向へ指示を出している。直前に30分の「連絡会議」があり、文科省事務次官や厚労省事務次官らが参加しているが、すでに指摘したように「連絡会議」の文書は公開されていない。

3月22日の日曜のテレビニュースに、さいたまスーパーアリーナでK1ワールドグランプリが開かれる会場前で「これを止める権限がない」と大野元裕・埼玉県知事がカメラの前で戸惑っている。誰もがこれでいいのか、と感じていた。

連休明けの3月23日月曜日の対策本部会合は参議院予算委員会の昼休み、正午から7分間と短い。アメリカからの帰国者の水際対策として2週間の待機を求めるぐらいしか言っていない。

ほぼ同刻、東京都の小池百合子知事は、「ロックダウンなど強力な措置を取らざるを得ない状況が出てくる可能性がある。それを避けなければいけない」と発言した。翌24日の火曜日にＩＯＣのバッハ会長と安倍首相の電話会談が行われ、東京２０２０は1年延期が決まった。

小池知事のロックダウン発言は意図せぬかたちで、言葉だけがひとり歩きして行く。ネット上で「そうなったら流通が止まり、資材や食材がたちまち無くなる」と不安を煽る書き込みが増えた。「4月1日から実施されるらしい」とフェイクニュースも流れた。

安倍首相は3月30日の自民党役員会の席上、「戒厳令まで出すというデマが流れているようだが、そんなことはまったくない」と否定していたし、「4月2日にロックダウン」とのデマもあり、それに対して菅官房長官は「そうした事実はない」と打ち消した。

ロックダウンのできない都市構造

日本では欧米のようなロックダウンはあり得ないのだ。週刊誌のインタビューに僕はこう説明した。

「すでにロックダウンしているロンドンやパリやミラノなど海外の街は、構造的には城塞都市なのです。都市の中心から15分も電車に乗れば、緑豊かな田園地帯へと風景が一変する。グリーンベルトが都市を取り囲み、都市と都市の境界が明確なので、ロックダウンが可能なのです。ところが、東京はそうではない。急増する人口に対応するため、大正期に山手線が現在のような環状線となり、渋谷、新宿、池袋駅などからヒゲが生えるように私鉄が郊外の住宅地に延び、東京は西の山手の田園地帯へと膨張していった。また、東京は1400万人の都民が住むだけでなく、周囲の4県から1～2時間かけて通勤する街でもあり、首都圏の人口は3600万人にも達する。海外には郊外から1時間以上かけて通勤するような都市は存在しない。こうした特殊な事情ゆえ、東京を都市封鎖することは不可能なのです。こうした構造を踏まえれば、東京都だけではなく首都圏という広域をひとつの世界と見立て対策を講じなければ効果は期待できない」

日本の都市の特殊な成り立ちをまず理解する必要がある。そのうえでロックダウンに近い状況をつくるには緊急事態宣言を前提にしなければいけない。

緊急事態宣言には外出自粛の要請ができる、と記されているが、あくまでも強制でなく協力を求めるだけだ。罰則もない。宣言するのは政府であっても、要請するのは都道府県知事になる。

鉄道を止める権限はない。むしろ、緊急事態のなかで医療従事者やスーパーマーケットの従業員や宅配便を配達するなどのエッセンシャルワーカーのために最低限の交通機関を動かしてくださいとお願いする立場になる。

いつ緊急事態宣言が出るのか？　欧米イメージのロックダウンの語があちらこちらで囁かれ、そうなると国民の関心はその一点に集まっていたが、政府のスピードは遅いように感じられていた。まだか、まだかとの期待と不安のなかで政府は「対策本部」に、特別措置法に基づく緊急事態宣言の権限を付与するとの閣議決定をしたのは3月26日木曜日である。

ならば週末にも緊急事態宣言が出されるのではないか、と思われた。その週末、3月28日土曜夕方6時からの首相記者会見では、「いまの段階においては緊急事態宣言ではありません」と肩すかしのような発言だった。

緊急事態宣言の前にやることがある。

「緊急経済対策の策定と、その実行のための補正予算を、この会見のあと、指示します。10日間程度のうちに取りまとめ、速やかに国会に提出したい」

10日間程度でまとめられた緊急経済政策（4月7日閣議決定）とは、あの評判の悪い「総額6兆円の現金給付、収入が住民税の非課税水準に落ち込んだ世帯などを対象に現金30万円を給付するほか、収入が半分以上減少した中小企業にも最大で200万円を給付、児童手当ての受給世帯では収入の高い世帯を除き子ども1人につき1万円を給付」であった。30万円をもらえるのは5世帯に1世帯でしかない。「世帯主の月収が一定の水準まで落ち込んだ世帯」とされても証明が難しい。もらえる世帯ともらえない世帯の境目が微妙だ。しかもそのために判定をめぐる書類が増える。

国民はもっとわかりやすく、手続きがシンプルでスピード感ある対策を求めていた。

拍子抜けしたアベノマスク

この緊急経済対策が発表されるまでの待ち時間のなかで期待感を裏切ったのが、一世帯2枚の(再利用可能、洗えば使える布製)ガーゼマスクの送付であった。アベノマスクと揶揄された。実際にその小さめのマスクをしているのは安倍首相本人のみで閣僚たちは不織布のマスクや独自デザインのマスクをしていた。

3月末から4月の初めの1週間、緊急事態宣言を早く出せ、早く出せとの世論は高まるばかりだった。小池都知事は「国家としての判断が求められている」、吉村大阪府知事は「手遅れになってからでは遅い」、日本医師会の横倉義武会長は「緊急事態宣言を早く出さないと医療崩壊につながる」、専門家会議のメンバーで釜范敏・日本医師会常務理事は「爆発的な感染拡大が起こってから宣言を出しても手遅れだ」と口々に言った。

3月下旬の三連休の油断を後悔する気持ちが国民の間にもあった。あれから感染者数が4倍近い4000人を超えていたからだ。4月中旬に行われたNHKの世論調査では緊急事態宣言が「遅すぎた」が75パーセントに上った。

4月5日日曜の夕方に非公開の連絡会議が15分間開かれ、安倍首相は「今週、緊急事態宣言を出す」と決意を述べる。だが不可思議に思われるが、主要閣僚と官邸官僚で構成される連絡会議では反対意見が強かった。

6日月曜の対策本部会合は17分間、「対象地域を東京、神奈川、埼玉、千葉、大阪、兵庫、福岡の7都府県とする」「生活に困難な家庭に30万円」と述べ、7日火曜日の記者会見直前の14分間の対策本部会合では「期間は4月7日から5月6日までの1カ月間」と述べた。

緊急事態宣言が出されたのは4月7日夜7時のNHKニュースの始まりの時間である。視聴率は69・2パーセント（NHK単独では26・3パーセント、民放5局の合計は42・9パーセント）に達した。

安倍首相の会見と質疑応答は1時間を超えた。すでに知られていることなので省略するが、気になったのは「人と人との接触機会を最低7割、極力8割、削減」という言い方である。

厚労省内につくられたクラスター対策班の西浦博・北海道大学教授の試算では、オーバーシュートを防ぐには「8割削減」が必要との数字が出ている。科学の数字を値切ってどうするのか。

僕は霞が関や都庁の役人のメンタリティを熟知している。「最低7割、極力8割」は、つねに逃げ道を考える役人的な表現なのだ。役人は個人責任を負えないのでそういう言い方をする習性がある。総理大臣ならそれに惑わせられずに、「8割！」と断言しなければいけなかった。

4月16日木曜日、安倍首相は緊急事態宣言を全国に拡大することとし、「困窮世帯に30万円」から「一律10万円」の給付と方針転換した。閣議決定した補正予算案を変更するなど前代未聞の出来事だった。

閣議決定が引っくり返るプロセスに公明党の山口那津男代表が官邸に駆け込んだり、自民党の二階俊博幹事長の腹芸があったり、そのドタバタを派手に報じられたが、そもそも当初は自民党内でも公明党でも、そして野党も一律10万円で進められていたものが、いつどこで困窮世帯30万円給付が、安倍首相と岸田政調会長との合意となり閣議決定へ至ったのか、密室のなかの意思決定過程であった。政治部記者など官邸ウォッチャーの間では、30万円給付の発案者は今井秘書官兼補佐官との見方で一致している。

安倍首相は17日金曜日に記者会見に臨んだ。

「収入が著しく減少し厳しい状況にあるご家庭に限って、一世帯あたり30万円を給付する措置を予定しておりましたが、国民の皆さまから寄せられたさまざまな声、与野党の皆さまの声も踏まえまして、さらに給付対象を拡大することといたしました」

低姿勢の言い方は、支持率が落ちていたからである。

一律10万円給付の閣議決定が出る前、安倍首相への不満が爆発し始めた時期、4月10日に田原総一朗氏が官邸を訪問している。

日本には有事の発想がない

安倍首相と25分ほど話をした際に「緊急事態宣言がなぜ遅れたのか。財務省の反対があったのか」と問うと、大きく首を振り「じつは閣僚のほとんどが反対だった」と意外な答えが返ってきた。田原氏は、3月初旬までは緊急事態宣言には反対だったが、新型コロナと人類との戦争、つまり戦時だと捉えはじめていたので、緊急事態宣言を急ぐべきと考え直していた。そう伝えると安倍首相は「戦後、日本は戦争をしないということで、戦時の発想はなかったのです。いまは戦時だと思って決断した」と答えた。

田原氏からやや昂奮した声の電話が僕にあった。

「たしかに有事についての発想がないんだ、日本には。だからこれまで戦時中のような私権を制限するなど考えたこともなかったわけだ」

腑に落ちた、という感じの声が電話の向こうから伝わってくる。しばしば田原氏と戦後体制の見直しについて語り合ってきた。

「猪瀬さんがいつも戦後日本は『ディズニーランド』のようだ、と言っていたがその通りなんだよ」

安倍首相はその壁の前で立ち竦んでいたのである。

幕末の黒船来航以降、日本はいわば弱肉強食の国際社会のなかに生きることになった。

アジア・アフリカの国々は欧米列強により植民地化されたが、日本は明治維新でどうにか国民国家をつくり、殖産興業・富国強兵で植民地化の危機を乗り切った。日清・日露戦争に勝利して不平等条約を解消して独立国家として生きることになった。そこから周知のようにアメリカとの戦争まで行き着いて、未曾有の敗戦を迎えた。

そして「純朴その物な村の年寄りの一団」の会話にあったように「アメリカの属国になりゃ楽になる」という道を選んだ。

アメリカの軍事力の庇護の下にいれば弱肉強食の国際社会のなかにいる事実を忘れることができる。日本は再び黒船来航以前の江戸時代の鎖国へ戻った。「泰平の眠り」に就いたのである。

戦争はしない・できないという憲法の下では「有事」という発想は消滅する。有事には私権が制限される。「有事」のない日本では国家が国民に強制するという法律はないのだ。世界中探しても「有事」を想定していない国家は存在しない。だから「ディズニーランド」であり、入口の門番はアメリカ兵に任せ、園内は架空の平和に満ちている。

そうした戦後社会の空虚さ、欺瞞があたりまえになってしまったことに絶望した作家がいた。三島由紀夫である。1970年（昭和45年）11月に市ヶ谷の自衛隊に乱入し、自衛隊に決起（覚醒）を呼びかけ自決した。その4カ月前に「戦後民主主義とそこから生ずる偽善」を説き、日本国の未来をこう予言した。

「無機的な、からっぽな、ニュートラルな、中間色の、富裕な、抜け目がない、或る経済大国が極東の一角に残るのであろう」

三島由紀夫は見抜いていた。

あるものを、ない、とする。それが僕たちの生きる戦後の言説空間である。

そうであるならば、あるものを、ある、とする、それが作家の役割である。

日本の作家が何を描き、どんな言説空間をつくってきたのかを振り返ってみたい。

第II部

作家とマーケット

カズオ・イシグロと「公」の時間

三島由紀夫の自決を考える

三島由紀夫の評伝『ペルソナ』（文春文庫）を執筆したのは１９９５年（平成7年）、三島由紀夫が１９７０年（昭和45年）に自決してから25年後のことである。僕は40代最後の年だった。

１９７０年11月25日をできるだけ正確に再現するために、テレビ局に保存されている三島事件を報じたニュース番組の素材テープを繰り返しチェックした。

バルコニーで演説する姿は、いまもしばしば戦後史特集のハイライトとして使われる。僕はふっと、ある画面で手を止めた。それは勇ましい三島の映像ではなく、ただ自衛隊市ヶ谷駐屯地の正門が映っているだけのありふれた光景だった。

看板の墨文字が「市ヶ谷駐とん地」となっている。「屯」は、たむろするという意味である。平仮名の「とん」の間の抜けた印象がたまらない。

とたんにすべてが滑稽に見えてきて、やがて悲壮感ただよわせた三島の顔と重なり、憐れみを覚えた。そうだ、あんたのせいじゃないんだよ……。

こういう醜いぐずぐずこそが日常性であって、その日常性にどんな嫌悪感を抱こうが、あの戦争で300万人以上の自国民が犠牲になった結果、日本人は形而上の世界は考えないことにしたのだ。

それでよいわけがない。日本にはリアルなど何もなくて、「ディズニーランド」のような歴史の存在しない世界がただあるだけなのだ。

自衛隊は憲法上どう書かれていようと暴力装置＝軍隊であることに変わりない。1960年代の日本では「非武装中立」が論壇の主流であったから、軍隊というものの存在を、そこにあるにもかかわらず「ない」ということにしていた。

いまも自衛隊は災害出動などで存在感が増してはいるが憲法改正をしていないから、正式には「ない」ままだ。軍隊ではないから軍法会議（軍事法廷）というものがない。

軍隊でない実力部隊、それも世界第8位の軍事予算（ドイツより多い）をもっている、そういう存在であっても一般の法廷で裁かれるのだ。闇夜で敵と遭遇して撃ち合いになった際に、敵がテロリストか一般人かはわからない。一般人と判定されたら、自衛隊の武器使用基準は、警察官職務執行法第7条の〔正当防衛、緊急避難〕なので、刑事事件の殺人罪が適用される可能性がある。これでは自衛隊員は戦えない。躊躇している間に殺されるかもしれない。

自衛隊は非嫡出子として誕生したので偏見をもって見られてきたが、品行方正に育って成人したのだから認知しなければいけない。憲法改正で「軍隊である」と書き込めばよいだけだが、それを怠ってきた。右翼とか左翼という問題ではない。戦争をするとかしないとかの問題ではない。存在している事実を認めるか否かにすぎない。そうでなければシビリアンコントロールが成立しない。制度の誤魔化しは、心の偽りである。

「公の時間」のなかの「私の営み」

そういう何もない虚しい平和という環境を、後に描くことになる僕と同世代の作家が村上春樹で、虚しさを描いてもただ甘さと苦さの入り交じった感傷が残るだけだが、村上作品はつぎつぎとベストセラーになったので僕の味覚は少数派なのかもしれない。日本人は自分が「ディズニーランド」の中にいることに無自覚なのだと思う。

カズオ・イシグロが２０１７年にノーベル賞をとった折、村上春樹ファンのがっかりする声が聞こえてきたが、それは仕方のないことであった。なぜならカズオ・イシグロの作品には、時間が停止した「ディズニーランド」とは異なる、歴史のなかに生きる人物が描かれているからである。

代表作の『日の名残り』は貴族の館の執事長と女中頭と、仕事を切り盛りするマネジャー同士の切ない恋心がテーマになっているのだが、第一次大戦から第二次大戦へと向かう戦間期が時代背景として丹念に書き込まれている。そこには現実の政治や国際情勢に接続している「公の時間」が連綿と流れているのである。

『日の名残り』には「公の時間」のなかに「私の営み」が叙情的に描き込まれている。「公の時間」とは、家の土台のような確固たる事実が堆積した世界であり、個人の苦悩や葛藤という「私の営み」はその土台の上に構築されるはずだ。個別・具体的な「私の営み」を、普遍的な「公の時間」につなげるのがクリエイティブな作家の仕事である。

『日の名残り』の舞台となる貴族の館には、チャーチルも訪れればナチスドイツの高官も訪れる。そこで繰り広げられる密議は、ヨーロッパの正史そのものであった。戦後のEU体制や最近のブレグジットと地続きの世界が「私の営み」の背景として語られている。

2017年の映画『ウィンストン・チャーチル』や同年の映画『ダンケルク』とも、『日の名残り』のテーマは重なり合っている。

第二次大戦の始まりは1939年9月にドイツがポーランドにいきなり宣戦布告もなく侵攻、スターリンとの密約がありソ連も同時に東から攻め、ポーランドは分割された。東側を固めたヒトラーは翌1940年4月にデンマークへ侵攻、さらに5月にいきなりオランダを電撃空爆、ベルギー、ルクセンブルクもたちまち降伏する。フランス軍は大部隊を出動させたが防御が手薄になった背後からフランス領に入ったドイツ軍に惨敗、フランス軍と援軍のイギリス軍30万人がドーバー海峡に面したダンケルクの崖っぷちに追い詰められた。「ダンケルクの悲劇」として知られている。

映画『ダンケルク』は、イギリスの無数の漁船が兵士を助けに行く史実に即した美談仕立ての物語になっている。このときイギリスの政権はナチスに押され接近し、宥和《ゆうわ》策に呑み込まれる瀬戸際にあった。いきおいを増すドイツと接近したほうが得策だとする親ナチス派の閣僚が優勢になりかけた。首相になったばかりのチャーチルと親ナチス派の閣僚との政争と、その過程でのチャーチルの決断がリアルに描かれた映画が『ウィンストン・チャーチル』だ。

『日の名残り』の主人公である執事長は、貴族の館を訪れるナチス高官と親ナチス派の閣僚の外交会議を裏方として取り仕切る姿が描かれている。

第二次大戦はナチスドイツの敗北で終わるが、勝利したイギリスも疲弊していた。売りに出された貴族の館はアメリカ人の資産家の手に渡った。戦後の国際社会は、ヨーロッパからパックスアメリカーナの時代へと移り変わる。『日の名残り』には、そのあたりの情景が淡々と描かれている。七つの海を支配した大英帝国にはかつての栄光はなく「斜陽」の時代を迎える。

第一次大戦と第二次大戦、どちらも勝者のいない戦争とヨーロッパでは認識された。勝っても得るものが失うものより少ないとわかったのだ。その認識が現在のEU体制へとつながっているのである。

そのEU体制にいま綻びが生じている。イギリスはEU離脱で国論を二分した。『日の名残り』を読み『ダンケルク』や『ウィンストン・チャーチル』を観ることで、ヨーロッパの現在を考えることができる。現在の自分たちが過去に連続するかたちで存在していることを理解する。

ところが日本では第二次大戦そのものを置き去りにしている。アメリカの「属国」として「戦前」を切り離し、「ディズニーランド」の世界にいる。カズオ・イシグロと村上春樹の読者層の違いはそこにある。「戦前」は存在しないし、いまの自分とのつながりを考えようとしない。

カズオ・イシグロの作品に較べると、日本の文学はひたすら「私の営み」だけを追い求めている。歴史から切断された「私」の虚しさを追い求めても、辿り着く地平は陽炎《かげろう》のようにただ遠ざかるばかりだ。

ヨーロッパ文学であるカズオ・イシグロの作品は、「公の時間」と「私の時間」がバランスよく拮抗している。「私」というものが「公」と絡んでいき「私」の葛藤はそのなかで現れるのだ。

ところが、1970年に三島由紀夫が自決し、それ以降の日本の文学は、「私だけの空間」になってきた。

日本の文学というのは、私的な空疎さ、自分のなかの空疎なものを探しあぐねているだけで、「公の時間」が見えない。近年の日本文学は、虚しい「私」の空回りである。

クリエイターとしての作家の誕生

新しいソフトの担い手として

あらためて作家の役割を考えようと思う。

いまから約20年前、2001年6月にNHK教育テレビ『人間講座　作家の誕生』の結びで僕が述べた発言をそのまま採録する。

「1970年に三島由紀夫が自決して、これまでのあるかたちの作家像は終わったと思うのです。それはあくまでも、あるかたちということであって、ソフトを作る製作者、そういう意味での作家は終わってないと思うのです。古い意味での文士という狭い世界である必要はまったくないのです。


ゲームソフトのデザイナーであったりあるいはインターネットのコンテンツ制作者であったり、あるいはベンチャービジネスを起こす人であったり、携帯電話でいろんなネットワークを作って、新しいその携帯電話の画面を広くしてつくったり、いろんなことをやっていきます。

そのようなものも含めて、物語、生き方、ライフスタイルをつくっていくことが、新しい作家、広い意味での新しい作家の役割だというふうに思っています。新しいソフトを作るその担い手たち。そういう人たちによる新しい物語がいま求められていくように思います」

まだスマートフォンが生まれる前、僕はこう予言していた。なぜなら「作家」という職業は、もともと新しい空間の成立に適応するかたちで生まれ、また空間の変容とともに進化するクリエイターだからである。

現代のような職業としての作家が生まれるより前、江戸時代に遡ってみよう。三百諸侯と呼ばれる大名たちが支配する小さな国々による連邦国家であった。江戸の大名屋敷は、各国の大使館のような存在だった。

人びとは城や寺、あるいは山や川など、目印になるランドマークが見える風景、いわばおらが国、カントリーに帰属していた。

それが突然、明治維新後の急速な改革とともに国民国家、ネーションの空間に切り替えられる。北海道から九州・沖縄まで、気候風土も異なるにもかかわらず、単一の空間へと包摂されたのである。「日本」という名の近代国家が誕生して、カントリーの単位であった藩は解体され、「一君万民」すなわち天皇の下にすべての国民は平等・均質とされた。国民という概念はそもそも存在しなかった。いままでの身近な世界であった菜の花咲く里山、田園を流れる清流、そんなカントリーの心象風景から、日の丸、富士山、能舞台の気高い松、など抽象的な記号としてのネーションの風景のなかに生きることになった。

カントリーであったものが突然ネーションになったときに、帰属感を失った自分は新しい空間のなかでいったい誰なのだろうか、と問い始める。よりどころがはっきりしなくなってくるのだ。

カントリーからネーションへの空間革命によって、成立した近代国家では、自立した個人が国家の構成要素の単位になるはずであった。

その自立の仕方が難しかった。

福澤諭吉はその難しさを「政府ありて未だ国民（ネーション）なし」と言わざるを得なかった。つまり国民国家は、その成員である国民がつくるものであり、その意思決定を討議するのは、かつての幕府の老中・奉行など幕閣や各大名家の家老らによる限られた身分の者しか参加できない合議ではない。意思決定には民意が発露されることによる正統性が求められる。ヨーロッパの近代がたどり着いたのは、そういう方法であった。幕末の知識人たちはヨーロッパの議会制度を知ると、漢語の「公」を用いながら、「公平」や「公正」といった「公」によって討議への参加が正統化される国家を構想した。それは、いわゆる「公議輿論」にもとづいていなければならない。

しかし、成立したばかりの明治政府は一部の藩閥出身者によって独占的に運営されている。これでは民意は介されていない。幕府の専制から新政府の専制になるのだったら意味がない。

新政府の意思決定が「公」なしに運営されていることを憂慮した人たちのなかに旧幕府系のインテリがいた。福澤諭吉もその一人である。

「社会」と「人間交際」

福澤諭吉はヨーロッパの近代思想を紹介した『文明論之概略』(1875年、明治8年)で、なぜヨーロッパは「文明国」であるのに日本は「半開の国」なのかを説いた。それは日本には「権力の偏重」があるからだ。これは「官」と「民」という枠組みでもそうであるが、人間関係一般に当てはまる。「男女」「親子」「長幼」など家族関係だけでなく「師弟主従」「貧富貴賤」「新参古参」「本家末家」など社会的な関係にも、上の者が下の者を抑圧し下の者は上にへつらう重層的な構造、つまり「強圧抑制の循環」がある。これでは「公」の討議などできない。そもそも人間関係のあり方から変えなければならなかった。

福澤は文明を「人間交際の次第に改まりて良き方に赴く有様」だと説明した。「人間交際」はsocietyの訳語である。

福澤諭吉はヨーロッパの思想を翻訳する際に、ずいぶんと苦心している。なぜならそのまま日本語にしにくいからである。たとえば「社会」という言葉、それにふさわしい実体が江戸時代までの日本には生まれていなかった。そこで初めにsocietyを「人間交際」と訳してみた。人びとが自発的に集って交流し、グループをつくり別のグループと関わり合っていく。こうした人びとの自発的なつながりの総体が「人間交際」であり、現代的な「社会」と一致する。福澤はsocietyが人と人との交わりであることを強調した。

江戸時代であってもカントリーの枠を超えて人びとは移動し活発な交流はあった。ただし儒学の師弟関係とか、狩野派などの画塾とか、俳諧の句会とか、剣道の道場など、少人数の対面指導やその塾生同士の横の繋がりがあっても、それぞれは小さなグループにすぎない。広い意味での「社会」というものが存在しなかった。

「社会」に対応する言い方としては「世間」あるいは「世の中」という表現はあった。だが構成要素としての個人の役割が見えない。まず士農工商として「世間」は分断されていた。武士のなかであっても禄高の差で上級武士と下級武士との交流は分断されていたし、農民のなかにも豪農から貧農まで階層別にグループが分かれ、商人にも豪商から小商いまでグループが分かれていた。むしろ士農工商による分断よりも、それぞれの身分間のなかの分断のほうが大きかったのが実状であった。分断は、タテにもヨコにも存在していた。

士農工商の時代から天皇の下にすべてが平等とする一君万民の明治維新で、まず身分の分断が解消され、大小の大名など三百諸侯に分かれていた地域の分断が解消され、つまり里山のカントリーからひとつの宏大なネーション空間が誕生した。「社会」の素地ができたのである。

福澤諭吉が「社会」を「人間交際」と訳したのは、人と人が交わる空間は狭い縦割りの状態ではない、国民国家（ネーション・ステート）の均一の空間のなかにある、と考えたからである。

ネーション（国民）は「人間交際」の土壌から生まれるのだ。この「人間交際」で発揮されるべきものが「公徳」である。「私」の範囲より広い場所での自分の役割は「人間交際」の世界では「公務」とされる。「公務」とは私的な感情で左右されるのではなく、説得力のある論拠が求められる。今日風にいえばファクトとロジックによる説明である。

こうして「人間交際」のなかに「公」が形成され「ネーション」が生まれるはずだった。ちなみに「演説」という方法も福澤諭吉が実践した。「人間交際」という空間がなかったので、不特定多数へ向けて大きな声で、ファクトとロジックにより訴え、語りかけるスタイルが存在しなかったのである。

明治政府はやがて憲法を発布し、議会制度をつくる。討議への参加、つまり「公」への参加の制度化である。

伊藤博文が憲法をつくるためにヨーロッパを訪ねたとき、ウィーン大学の法学者ローレンツ・フォン・シュタインからこう忠告された。

「君らの国では、英国のような議会はまだ無理だ。百家争鳴になって何も決まらない」

「まずは議会の権限を一定の幅で制限して、官僚機構をつくってそこで政策を決めて、議会で承認するような形をとったほうがよい」

つまり、法律を制定する際に帝国議会の果たす役割を小さくするように助言を受けたのだ。というのも、民主主義が未成熟の日本では議会が機能しないと予想されたからだ。百家争鳴で意見が乱立すると意思決定ができないどころか、果ては内乱が起きることになるかもしれない。

そこで大学を創設し、外国人の教授を雇い入れて英才たちに西洋の制度や文物を教育する。西洋に留学もさせて官僚を育てる。そうやって官僚機構を立ち上げ、法律や制度をつくっていく体制をととのえた。明治憲法下では、官僚機構が法律をつくるだけでなく法律に次ぐ効力を持ち、かつ議会に諮る必要のない「勅令」が活用されるケースも数多くあった。勅令はいうまでもなく天皇の命令であるが、当然、官僚機構が作成する。つまり、政府、官僚機構は初めから議会に対し独立していたのである。

近代をつくったヨーロッパに較べると、国民（ネーション）の土壌が痩せていると判断したために「公」を官僚機構に預けたのだ。意思決定の大部分は官僚機構に委託された。その帰結は、第I部で示した不決断の構造である。本来は「公」による突き上げがなければならない。

福澤諭吉の考えた「男女交際」

こうしたなかで作家の役割はどうであったのか。

新しいネーション空間のなかで数多くのクリエーターが自然発生的に簇生した。ネット媒体と同じように雑誌が作品を載せて全国津々浦々へと運んだ。

江戸時代からの戯作の流れを汲む戯作文学はあったが、個人の内面や苦悩を時代の風俗のなかでリアルに描く、いまではよく知られている小説のスタイルは新しい国家の「人間交際」のなかで生まれるのである。ただ「小説」という言葉にはあまりこだわる必要はなくて、かつて君子の国家や政治に対する志を書いた四書五経などの漢語の古典を「大説」とするなら、小編の言説をどういうか。「文学」も学問全体を指すので、まあ「小説」かというぐらいの思いつきであった。小説をフィクションに限定するのは、その後にできた固定観念である。ノンフィクションや批評も小説であり、虚構が要件ではない。

エリートとしてヨーロッパへ留学したいわゆる「洋行」帰りの森鷗外や夏目漱石によって近代文学の方法論が実践され、伝授された。

ところがその後、日本独特の展開が生まれた。後述するが「人間交際」が「男女交際」へと狭められていくのである。

もともと「男女交際」を説いたのは福澤諭吉だった。「人間交際」の明治社会はほとんど男子だけの世界であり、本来は男女もふくめて社会が成立していなければいけないはずだ。

福澤は『男女交際論』（明治19年）の「序」でこう述べている。

「古来我が日本国民が世に処するの法を見るに、かつて往来交際の重んずべきを知らず……往来交際や、単に男子の間に限りて、未だ女子の間に及ぶことなし。況んや男女両性の間に於いてをや」

男子と女子がクロスオーバーしなければいけない。人口の半分は女性なのだからあたりまえの話ではあるが、長い間「男女七歳にして席を同じゅうせず」の時代を過ごしてきた。だから、あえて「男女交際」を説いた。フェミニズムを持ち出すまでもなく、「人間交際」を「男女交際」が補うことでようやく「社会」となるのである。男と男、男と女、女と女、これらが本来の「人間交際」の構成要素である。

男女の間の葛藤や性描写は必ずしも「男女交際」のすべてではない。

ところが「男女交際」という言葉が「人間交際」と分離して、意味も違って用いられるようになって「公」と乖離《かいり》していく。後述するが、明治時代後半から「男女交際」は恋愛小説のテーマに置き換えられてしまうのだ。恋愛に限定されてしまうと「公」から離れて、「私」が中心になってしまいやすい。「私」の掘り下げが世界を映す、という言い方もあるが、文学が私的に自閉していくことにより「公」との緊張関係がなくなり、すべてが情緒の問題に矮小化されてしまう。

投稿雑誌とネットワーク

近代の作家は新しい空間のなかで、自分は国民の一員である、しかし、その国民とは何ぞや、個人とは何ぞや、という問いに直面して誕生した。「公」と「私」の葛藤が初めて生まれた。

新聞が生まれた。さらに雑誌ができた。

新聞は配達を基本とするので地域単位だが、雑誌は東京で生まれた。新聞は政府の官報のようでもあり、また自由民権運動の広報紙のようでもあった。いずれにしろお上に近い「公」の位置にあった。

ところが雑誌は、まだ誰を相手に売るのか、購買層がはっきりしていない。博文館という出版社が、明治20年（1887年）に『日本大家論集』という雑誌を思いついた。

著作権がない時代だから、あちこちの新聞に載っている政府高官の意見や自由民権運動家の意見をそのまま寄せ集め、転載して売ったら少し売れた。原稿料など元手がかからないからそこそこに儲かった。だが売れ行きが不安定なので、投稿欄を設けた。

投稿がどんどん集まるのでそれを載せた。すると売れた。無料のコンテンツを元手にビジネスを始めた。読者が必ず買うであろう投稿による参加戦略はうまくいった。北海道あるいは九州で投稿した少年や少女がいる。投稿すると、自分の所在地と名前が雑誌に載る。「ああ、自分はここにいるんだ」とメディアの中で自身を確認できることから少年少女たちは競うように雑誌に投稿した。ブログの始まりである。

やがてブームが起こった。現在のインターネットの時代に、あちこちのネット掲示板に自分の痕跡を残していくのと同じように、読者投稿によるネットワークが形成されていった。「人間交際」の世界が拡がっていくための装置が生まれた。

博文館は続けて日本で初めての総合雑誌『太陽』を創刊し、執筆陣に坪内逍遥、尾崎紅葉、幸田露伴など有名人をそろえ注目を集めた。さらに太陽を周回する惑星のように『少年世界』『中学世界』『女学世界』『文章世界』と投稿欄に半分近いスペースを割いた世代別、男女別の雑誌を創刊した。

博文館は明治時代では業界トップの出版社になった。あまりの羽振りのよさはついに尾崎紅葉著『金色夜叉』の悪役として登場させられるほどであった。『金色夜叉』は明治時代に一世を風靡した物語で、いまも熱海海岸に「お宮の松」があるぐらい有名である。

おカネに目が眩み苦学生の貧しい貫一を裏切ったお宮。それに対して貫一は「来年の今月今夜のこの月を俺の涙で曇らせてみせる」と恨みの見得を切って復讐を誓い、高利貸しになるのだ。裏切った恋人お宮が嫁入りする相手は富山唯継、すなわち財産をタダで継ぐ男。指に「三百円の金剛石（ダイヤモンド）」の指輪をしている。モデルは博文館の二代目だった。まあ、そのぐらいの厭味を浴びせたほうが読者も気分がすっきりするぐらいに博文館は儲けていたのだろう。『金色夜叉』は、博文館に次ぐライバルの春陽堂から出ている。

博文館のビジネスモデルは新しい出版社にも波及した。

当時人気のあった少女向けの雑誌『女子之友』は投稿専門の雑誌だった。明治の教育を受け、自分の思いを表現する喜びを知った少女たちは投稿雑誌に熱中、短歌、俳句、随筆などを投稿した。ブログを書く動機と似ている。やがて投稿少女の中から毎回入選を果たす常連が現れた。『女子之友』が読者イベントを開催すると、地方から東京へ投稿少女が集まった。インターネットのオフ会と同じである。

自然主義小説という誤解

投稿雑誌は自分の存在感を確認するためのツールだった。雑誌には、読者投稿だけでなく著名人の執筆記事も並んでいる。すると、自分も有名な論壇や文壇の中に身を置きたいという気持ちになる者も現れる。

それが作家予備軍、作家の誕生をもたらす力になってくる。

博文館の『文章世界』編集長は作家の田山花袋だった。当時数編の小説を発表していただけの田山花袋は、すでに親友の島崎藤村が有名になっていたために焦っていた。この雑誌が田山花袋の作家人生に大きな転機をもたらす。

田山花袋のもとに神戸女学院3年の岡田ミチヨという女学生が、弟子にしてくれと「どうか女一人お助けあそばすつもりで、ねえ、先生よろしくお願い致します」と艶っぽい手紙を送ってきた。

上京してきたので田山花袋は自分の家の近くにアパートを借り、そこでミチヨに文章修行の手ほどきをする。ところが彼女は多情で、やがて若い恋人とさっさと出ていってしまう。田山花袋は落胆し『蒲団』（明治40年）という小説を書いた。

社会的にそれなりの地位の男が内弟子の女学生に夢中になり、結局振られてしまうが、恋しくてたまらず彼女の蒲団の匂いを嗅いだ、そんな情けない物語で、文学というよりはインパクトのあるスキャンダルとして報じられ、花袋はたちまち有名人になった。

尾崎紅葉の『金色夜叉』は、大衆の人気を得たが、ある意味ではストーリーが単純で勧善懲悪の図式で描かれている。津々浦々の芝居小屋で上演されていた。それに較べると事実をありのままに赤裸々に書いた『蒲団』はこれまでにない衝撃をもって迎えられた。

投稿少女を内弟子として採る際に、純粋な師弟関係をイメージしたのではなく、初めから下心があった点を告白した。そこが〝炎上〟のポイントである。インテリ紳士の虚偽性を衝《つ》く、ということがそれまでなかった。告白、懺悔《ざんげ》、自己暴露のほうが事実性がある、だからリアリティがある、と尊重される奇妙な傾向が主流となるのは花袋の『蒲団』からだった。

事実をそのまま描くことが新しいスタイルの文学、リアリズムであるとされたが、実態はプライバシーを晒しただけにすぎない。事実はただの事実ではなく、他人の関心を誘う自分自身についての事実でなければならない。それが日本の自然主義小説と呼ばれた作品群の実態だった。こうして「私」がマーケットで売れる、作家とはそういうものと理解された。

福澤のつくった「男女交際」という概念の変質がこのあたりから始まるのである。

近代文学のスタイルは19世紀にヨーロッパでつくられた。もともと小説とジャーナリズムは同根で、新聞や雑誌が普及していない時代、たとえば1830年にスタンダールが書いた名作『赤と黒』は、後世に恋愛小説の名作として読まれたが、発想は、当時の殺人事件の顚末や犯人の動機を伝えるために物語化したノンフィクション作品であった。

主人公は野心家の若者で、題名の『赤と黒』は、自らが出世の手段にしようとしていた軍人の服が赤、聖職者が黒でそれを表わしているとの説もある。スタンダールは出版当時に『赤と黒』の副題を「1830年代史」としていた。小説をことさらフィクションと呼ぶならわしはむしろ正確ではなく、時代と個人を描いた記録と考えたほうがよい。そこには「公」と「私」の葛藤が描かれていたからである。

「男女交際」は本来の意味を離れて、マーケットのなかで先端風俗としてあるいはスキャンダル小説のなかへと展開して流行語となっていった。日本独特の「私小説」の隆盛はこうしてマーケットのなかで市民権を得て、「文学」は「公」から離れていった。

三島由紀夫はその「文章講座」で「私には、自然主義文学、及びその末流私小説が毒したものは、作家その人よりも、小説の読者であると思われる。小説は正当な読者を失ったのである。つまり読者は小説を小説として読む習慣を失ったのである」と記している。

スキャンダルで生活の糧を得た作家とは異なり、文豪と呼ばれるようになる森鷗外と夏目漱石は、洋行したエリートだった。

彼らは給料をもらっている。鷗外は陸軍省の高級官僚として出世し、高給を食んでいる。

漱石は帝国大学講師から、朝日新聞に年俸契約でスカウトされ、いまの価値にすると年俸3000万円以上もらっていた。

鷗外は東京日日新聞（現・毎日新聞）に『渋江抽斎』『伊沢蘭軒』『北條霞亭』、漱石は朝日新聞に『三四郎』『それから』『門』など連載をもっていた。ヨーロッパの近代文学のレベルを日本語で試したのである。

鷗外と漱石には「人間交際」の土壌を作家として耕そうとする意志があった。

森鷗外の「家長としての立場」

「元号」にこだわった森鷗外

元号が「平成」から「令和」に変わってから早いもので1年が過ぎた。近代日本では天皇崩御と改元が同時だから、慌ただしい雰囲気のなかで新元号が発表される。大正・昭和・平成への改元は天皇の突然の死、すなわち崩御という予期せぬ日程のなかで行われた。今回は平成の天皇が退位し上皇となり、改元は突然ではなく予定調和のなかの出来事となった。

大正から昭和へ変わる瞬間、東京日日新聞は「新元号は光文」と号外を打った。これは世紀の誤報事件と呼ばれている。毎日新聞の社史には、「光文が正式発表の前にスクープされたので、慌てて昭和に切り換えられた」との趣旨の弁明が記されており、いまも都市伝説として流布されている。

僕はその真相を調べていくうちに、「光文」はまったくの勇み足の誤報であって「昭和」はあらかじめ準備されていたことがわかった。

その証明の過程で森鷗外が最晩年の仕事として『元号考』の完成に執念を燃やしていたことがわかった。なぜ作家が元号の作成に最後の力を振り絞ったのか、そこを考察したのが僕の処女作『天皇の影法師』だ。

カズオ・イシグロの作品には「公の時間」に「私の営み」が包含されている、と書いたが鷗外にとって『元号考』は「公」との葛藤であった。明治国家は応急的に整備されたので、元号についても未整備な面があり、誰かがやらなければならない。

ドイツ留学から戻った鷗外は順調に出世の道を歩み、陸軍軍医総監・陸軍省医務局長へ登り詰める。その後、大正6年（1917年）12月に宮内省帝室博物館総長兼図書頭《ずしょのかみ》に任ぜられた。この大正6年は、世界史上でも長く記憶にとどめられる事件、ロシア革命が起きた年でもあった。堅固に見えたロマノフ王朝はあっけなく崩壊した。

鷗外がまず取り組んだのは『帝謚考《ていしこう》』、つまり天皇の謚《おくりな》についての考証だった。謚または謚号《しごう》は崩御後に付けられる。律令時代には謚号として××天皇とされたが、律令政治の崩壊とともに10世紀ごろから天皇号ではなく××院と院号が用いられた。その後、18世紀末に即位して皇室の伝統行事の復活に尽力した光格天皇が1840年に没すると、水戸の徳川斉昭の建議で天皇号が復活した。

江戸時代、徳川軍事政権は圧倒的な軍事力とその権威、「武威」を背景に日本に君臨し「公方」「公儀」と呼ばれた。徳川政権では支配を正当化したのはイデオロギーではなく武力であった。京都の禁裏は形式としての「王権」でしかなく徳川家の「御威光」の飾り付けだった。幕末に近づくにつれて、徳川家は天皇から「大政」を委任されているのであり、天皇こそが正統な君主だという考え方が主流となっていく。

同じころ外国船が頻繁に沖合に現れ、通商を求めるようになると天皇から授かった「征夷大将軍」の役割を果たせという声が強まり、「公儀」は軍事を担当する限定された意味の「幕府」と呼ばれるようになった。

江戸時代後半からの天皇権威の復活は同時に徳川家を相対化していった。天皇号の復活にはこうした背景が存在した。天皇を国家の中心に据えることを宣言した明治日本において、天皇の名前の問題は秩序の問題であり、国家権力の根幹に関わる。それゆえにこそ鷗外はその形式にこだわった。

いまのような一世一元の制が敷かれたのは近代になってから、つまり明治時代からであり、それまで元号と諡号は　致するものではなかった。

明治時代が終わると天皇は明治天皇と呼ばれ、元号と諡号は同じになるが、明治天皇のひとつ前の孝明天皇の時代は、「孝明」という元号があったわけでなく弘化、嘉永、安政、万延、文久、元治、慶応と20年間に6回も変わった。そして諡号として孝明天皇と呼ばれることになったのだ。

元号もまた諡号とともに重大な問題となった。国家の中心である天皇制の物語に瑕疵《かし》があってはならない。

鷗外は『帝諡考』の考証作業を済ませると、つぎに『元号考』の考証に取り組んだ。そのころ友人にこんな手紙を書いている。

「明治は支那の大理という国の年号にあり、大正は安南人（ベトナム）の立てた越という国の年号にあり。しかも正しいという字は、分解すると〝一にして止む〟となり、「正」の文字を年号に使って滅びた国が幾つもある。不調べの至りと存じ候」

鷗外は「不調べの至りと存じ候」と吐き棄てるように書きつけている。ろくに調べもしないで元号をつくっているのはまことに情けない、と思った。明治政府の楽屋裏はまだお粗末だったのだ。日清・日露戦争を戦い、とにかく西洋列強から侵略されないよう独立を維持するだけで精一杯だったことを鷗外の世代は知っていた。

いまから見れば明治という時代は立派な天守閣がそびえているような姿に映る。だが実際には応急的な制作物であり、城郭の内側はあわてて打ちつけたベニヤ板に釘が浮いているようなしろものでしかなかった。

天守閣の鯱《しゃちほこ》であるような国家のいわば権威の飾りとしての元号ぐらい、きちんとつくれよな、と鷗外はあきれながら、それが文学者として、作家としての自分の役割だと強く自覚したのである。

天守閣の鯱《しゃちほこ》としての元号

鷗外の責任感は凄まじかった。友人宛てに覚悟のほどを伝えた。

「女、酒、煙草、宴会、みな絶対にやめている。僕のやっている最大叙述(『元号考』)のためだ」

死期が迫っていたのだ。図書寮の部下がこんな姿を目撃していた。

「ある朝、図書寮の坂をのろのろと登って行く老人がいる。見ると、右の足を引きずるようにして前に出し、つぎに左の足を同じように引きずるように前へ出す。気息奄々という言葉を絵にしたら、こんなだろうと想いながら、たちまちその老人を追い抜こうとしてみると、何と、それが先生だった。(萎縮腎で)とうとう浮腫が足に来ていたようです」

鷗外は病床に就くと『元号考』を手伝っていた宮内省編修官の吉田増蔵を枕元に呼び、死ぬまで日記の口述を頼み、未完成の仕事の完成を託した。

古代からすべての元号の出典を記した400ページにもわたる『元号考』ができた。さらに吉田はそれをあいうえお順に辞典のように整理した。吉田の遺族から入手したものが僕の手元にある。「平成」も「令和」もその手引きを参考にしてつくられた。

鷗外はなぜ、元号にそれほどこだわったのか。

『かのように』という作品がある。

主人公五条秀麿は、歴史を専攻した後、ドイツへ留学、帰国して歴史家を志した。父親である五条子爵は穏健な政治家だった。洋行帰りの息子は思う。

「まさかお父う様だって、草昧《そうまい》の世に一国民の造った神話を、そのまま歴史だと信じてはいられまいが、うかと神話が歴史でないということを言明しては、人生の重大なものの一角が崩れ始めて、船底の穴から水の這入るように物質的思想が這入って来て、船を沈没させずにはおかないと思っていられるのではあるまいか」

繰り返すが明治国家は応急的な制作物なのである。天皇が支配者であるという憲法もつくった。教育勅語もつくった。つくった側に近い世代の鷗外は、ほんとうの姿を知っている。だからといってそれを否定したら城郭はがらがらと音を立てて崩れるだろう。

ドイツ帰りの若い歴史家は鷗外の分身である。こう言わせた。

「祖先の霊があるかのように背後を顧みて、祖先崇拝をして、義務があるかのように、徳義の道を踏んで、前途に光明を見て進んで行く。……どうしても、かのようにを尊敬する、僕の立場より外に、立場はない」

元号なんてどうでもいい、というなら、それまでのことだ。それが国家の形式の部分を支える天守閣の鯱であるなら、それはそれで完璧な姿にしなければならない。

家長としての作家

鷗外は家長の立場を貫いた。経営体としてのイエの責任者、もう少し大きく表現すれば天皇制国家を支える司祭の自覚である。欧米列強に対して、まだ成育途中のよちよち歩きの国家は建設途上、きちんと成人させなければいけない。

だが日本の文学は、いつの間にか「公」に責任を負う家長の側面を失い始めた。ひたすら権威に反撥する放蕩《ほうとう》息子の側にのみ文学があると錯覚し始めたのだった。文学は「公」と「私」の葛藤のなかに生まれるはずだった。

それは日本だけの現象なのではないか。三島由紀夫は、「私の営み」をテーマにする太宰治の悩みなど冷水摩擦をすれば治ってしまう類いのもの、と切り捨てている。

どうして放蕩息子の側だけが主流になってしまったのか。放蕩息子には「公」はなく「私」しかない。

鷗外・漱石を家長にたとえるなら、彼ら洋行のエリート世代よりひと回り下の世代には、明治国家はすでに立派なものに見えており、国家建設に携わるような出番もない。家長としての「公」の使命を感じておらず、権威に反撥する放蕩息子のように振る舞うことが新しさだと思い込んだ。

田山花袋をはじめ遅れて来た世代に属するフリーランサーは身分が低く、雑誌の安い原稿料をあてにするしかない。だがスキャンダルの商品化で雑誌市場がようやく活性化してきた。

大正時代になると旧制中学、旧制女学校、さらには旧制高校だけでなく私立大学や専門学校など帝国大学以外に学歴を得るチャンスが普及して、新聞や雑誌の購読層の裾野が拡がり、世間をにぎわす作家たちの存在は、さらに後続の世代にとっては新しい生き方のビジネスモデルとなった。「私」を晒す〝炎上商法〟はマーケットのなかで場所を得るには手っとり早い。メディアのなかに自分を見つけようとする若者が増えていく。

夏目漱石は〝マーケット〟を意識していた

名作『三四郎』のヒロイン

最初に新しい時代の風を一身に孕《はら》んだのは女学生たちだった。『文章世界』に投稿を繰り返していた旧制中学の川端康成にとってダンジョコーサイ、すなわち「男女交際」という流行語は、まるで「国際社会」などの四文字熟語と同じ響きをもつ「近代」の新鮮な概念だった。

川端は大阪の茨木中学で、2学年下に大宅壮一がいたが互いに面識はない。大宅の名は投稿雑誌によく載って知られていたが、川端は落選続きだった。

川端は田山花袋の『蒲団』を読み、文学の主流は自然主義になると考えた。だが両親を亡くし寄宿舎生活の孤独な中学生にとって、東京の「男女交際」はあまりにも現実離れした遠い世界だった。ただ暗い妄想を育むしかなかった。

そんな折、流行の中心の東京で「男女交際」スキャンダルが報じられた。夏目漱石の弟子で当時27歳の森田草平は、故郷に妻子をおいて、作家として身を立て有名になりたいと思っていた。

カルチャーセンターのようなところで文学の講師をしていたが、面長でやや色黒、インド美人のようなエキゾティックな顔だちの受講生と恋仲になってしまう。

レストランでいっしょにウィスキーを呑むと頬を染め「自分はダブルキャラクターよ」などと言う。タバコをスパスパと吸う。手紙のやりとりをすると「寧ろ狂してみたかったのです」と書いてくる。男女交際には慣れているはずの草平を戸惑わせる女だった。

いろいろあって二人は心中未遂事件を起こすのだが、むしろ草平が巻き込まれた感が強い。相手は高級官僚の令嬢であったから、捜索隊が出され、世間は大騒ぎとなった。二人は那須高原の尾頭峠へ向かった。雪山のなかでうずくまっているところを捜索隊に発見された。事件が落着すると今日のワイドショーのカメラが集まるように非難の的となった不肖の弟子草平を、漱石は自宅にかくまった。

そしてことの仔細を漱石は、草平に訊ねた。

「たしかに変な女だな」と漱石は関心を示してからしばらく考え、「無意識の偽善者（アンコンシャス・ヒポクリット）だな」と同情して言った。「自ら識らざる間に別の人になって行動する女」の意味である。

夏目漱石がこの事件をヒントにして、ヒロインを造形したのが『三四郎』のなかの美禰《みね》子である。

熊本の田舎から上京した三四郎に「迷子の英訳を知っていらしって」と謎をかけ、「教えてあげましょうか」「迷える子（ストレイ・シープ）――わかって？」と煙にまく。三四郎はまごつくばかりで、東京の女は怖いなあと思うのだ。

人騒がせな女、フェミニストの誕生

夏目漱石はマーケットを意識していた。新聞の連載小説は、いまのNHKの朝の連ドラと同じで評判が部数増につながる。これだけ話題の事件をそのままにしておくわけにはいかない。『三四郎』の連載が終了すると、今度は弟子の森田草平に、事件のありのままを書いた実録『煤煙』を朝日新聞に連載させた。こうして2作はスキャンダルの余韻を増幅させた。

人騒がせな女は、その後どうしたか。メディアから隠れるように信州に身をひそめた。そしてある日、北アルプスの雪山に登った。快晴の青い空、白い峰々、太陽が眼の前、手にとるような近さに感じられた。そこで幻覚に陥る。自分が雷鳥になり純白な羽毛の翼を広げ太陽の周りを羽ばたいている……。雷鳥は夏は茶色の羽だが、雪が降る季節には羽毛が白に抜け代わる。

森田草平の『煤煙』のトーンは、どこか弁解染みていた。対してこの女は、求めに応じて徐々に自分の心境や事実関係について新聞や雑誌で述べはじめた。いわゆる芸能界というものがない時期、「新しい女」という形容が使われるようになり、一躍、スターとして扱われた。この場合、エキゾティックな容貌の写真も重要な要素であった。

女は『青鞜』を創刊し、巻頭に平塚らいてうの名前で「元始、女性は太陽であった」と書いた。これがフェミニストの代表のように言われる女性の実像の一面だった。

その後、平塚らいてうは文士たちが集まる酒場で青や赤のカクテルを呑んだりしたが、新聞は「五色の酒」と大げさに書いたりする。話題提供に事欠かなかった。

日清・日露戦争も終わり、大正時代は衣食事足りる時代へ向かっている。マーケットが期待していたのは「私」を売るスキャンダルを、期待通りに演じてくれる人材だった。

芥川を見出した『中央公論』

夏目漱石の連載の評判はよかった。漱石の周囲には作家志望者が集まって漱石山房と呼ばれた。旧制一高の出身者が中心だった。そのなかに芥川龍之介と、のちに『文藝春秋』を創刊することになる菊池寛がいた。

短篇『鼻』が漱石に激賞された芥川は、学生にしてすでに作家としてのパスポートをもらったようなものだった。

そのころプロの作家の登竜門は部数を急速に伸ばしていた『中央公論』だった。編集長の滝田樗陰は、エネルギッシュで活動的だった。まさに中央に「公論」をつくろうとしたのだ。「カロリー、カロリー」が口癖で、身長150センチ足らずだが太っていて体重は80キロ以上あった。

滝田は新人を発掘するのが得意だった。硬派な政治経済評論から、人気作家の小説、さらには最新の風俗や時代の先端を行く女の生き方まで、多彩な内容を取りそろえた。総合雑誌の原型をつくっていた。滝田は有名無名を問わず時代に合った書き手をつぎつぎに登場させた。

このころ作家予備軍たちは〝滝田の人力車〟を夢見た。

滝田は黒塗りの人力車に乗って作家の家の戸口に現れ、原稿を催促するとまた人力車に飛び乗って、別の作家の家へ向かう。滝田の人力車が来れば、有名作家は自分が第一線で活躍していることが確認できたし、無名作家にとっては幸運が訪れた証拠になった。

滝田の人力車は平塚らいてうの家にも止まった。世間を騒がせている人物の表と裏、虚像と実像、それこそが読者の求めているものだ、と知っていた。

滝田樗陰の登場によって、作家を取り巻くマーケットの状況は大きな変化をとげつつあった。『中央公論』に載れば、他の雑誌からも依頼が来る。原稿料も上がっていく。

作家がサラリーマンとして雇われなくても、またスキャンダルの話題提供者としてではなく作品の質を高めることにより、原稿料で生活していくことができるようになってきたからである。

24歳の新進作家芥川龍之介のところに滝田の人力車が来たのは大正5年（1916年）、菊池寛にはその2年後に来た。芥川と菊池は旧制一高で同級生だったが、菊池は東京高等師範、明治大学と回り道をしてきたので芥川より3歳年長だった。

ひとまわり下の世代である川端康成は、「男女交際」のため、旧制一高に入る目的で上京した。それが、作家への道程と信じていた。

大正時代には投稿少女雑誌も婦人雑誌へと成長していた。勢いにのる中央公論社は『婦人公論』も創刊した。「人間交際」は「男女交際」へと曲がって進んでいく。

ベストセラーの登場

二人の鬼才・芥川と菊池

秀でた額ととがった鼻、髪の毛をかき分ける細い指……、芥川の端正な面立ちに比べると菊池は下膨れのむくんだ顔に細い眼が埋まっていて、団子鼻にかけている眼鏡が小さく見えるほど不細工、髪はくしゃくしゃ縮れていた。

芥川の読者は文士志願のインテリ青年や教師、その容貌に魅入られた女学生などであった。芥川は『今昔物語』に材を取るなどの工夫を凝らした。しかし、それでは短篇にしかならない。大河物語のようなスケールの作品には、実際に起きた事件を調査し、取材する必要があるし、場面展開に工夫を施さねば読者を引き込むことができない。

菊池の活躍は芥川を凌駕していった。マーケットが拡大することで、大衆はエンターテインメントを求めるようになっていた。

芥川はその風貌は知性的であったが、才走ってはいても必ずしも深くはない。有名な『藪の中』は、殺人事件の目撃者の三者三様の「告白」が「事実」として並列される。犯人がわからないまま物語は終わっている。芥川はこの短篇で「人の心の奥底はわからない」という譬えとしているが、殺人事件には実際の加害者がいるのである。ウソをついているのは三人のなかの一人に違いない。

事件が迷宮入りとなり、ついに犯人がつかまらないと、しばしば「真相は藪の中」と表現される。だが事件が迷宮入りであっても必ず犯人は存在するのである。「真相は藪の中」という納得の仕方は、じつは知的でも哲学的でもなく、徹底的に詰めずに、何となくわかった気分で済ませる日本人好みの解決策にすぎない。『藪の中』創作にヒントを与えたとされるアメリカの作家、アムブロズ・ビアスの『月明かりの道』は、6人の陳述が綴られていて構成は似ているが、結局、最後に殺した犯人は誰か、真相が明らかにされるのだ。

いっぽうの菊池寛の時代センスが抜群だったのは、そのころでは珍しいがやがて一般化する自動車が登場し、いきなりスピードをあげて事故を起こすシーンを出世作『真珠夫人』の書き出しにしたことだ。19世紀のフランス文学を代表する作家がバルザックなら、菊池寛はいわば日本のバルザックであり、「人間交際」の幅のなかで欲望と理性、栄達と挫折、肯定と否定の要素を組み込んで物語にしている。

芥川の評価が高く、菊池の評価が低いのは、人生に悩むだけの芥川の亜流でしかない才能の乏しい売れない作家たちが、菊池に嫉妬して、売れるのは通俗的だからだと批判したせいではないかと思う。教科書の文学史の記述がつまらないのは、読者とマーケットについての考察が欠けていたからだ。そもそも早世した芥川を惜しんで芥川賞をつくったのは、新進作家に少しでもチャンスを与えようとする菊池の志しであった。

菊池寛の作家としての名声を一気に高めたのが、大正9年（1920年）から大阪毎日新聞と東京日日新聞に連載された『真珠夫人』だった。

主人公である真珠のような美貌を誇る男爵令嬢・唐沢瑠璃子は、金の力で父を陥れた成金の荘田勝平に復讐するため、その後妻となった。白亜の豪邸に住み、真珠夫人と呼ばれるようになる。

事故による心臓発作で夫が死ぬと、その遺産の力で社交界の女王として君臨、男たちの心を惑わせた。だが真珠夫人は心が満たされることのないまま、いっぽう的に彼女を慕う青年によって刺し殺されるという悲劇的な結末を迎える。

菊池寛の巧みなストーリー展開が大衆の心を捉え、毎日新聞の購読者は一気に5万人増えたほどだった。スキャンダルから正統派エンターテインメントへと作品は進化する。

女性が積極的に雑誌を買う時代になったのだ。雑誌『主婦之友』の「主婦」は当時の新語で、戦後の専業主婦とは違いただの「婦人」ではなくて、「主人」に対して「主婦」であり、男と女は対等であることを意味した。『主婦之友』は、大正時代後半になると20数万部も売れた。『真珠夫人』は、この婦人雑誌隆盛時代の読者が求める作品だった。

「大衆」マーケットの誕生

大正時代には東京に私鉄ができ、郊外から都心に通勤するという新しい時代、新しいライフスタイルが生まれつつあった。産業社会はGDPを飛躍的に伸長させ、サラリーマンという言葉も誕生した。マーケットが膨らめば、作家は稼ぐことができる。「大衆」が誕生して、新しい物語を求めていた。

そして従来にはなかったベストセラーが現れた。

島田清次郎、略して島清。天才島清と呼ばれ、それがいつしか蔑称になる人物である。20歳で新潮社から出版した『地上』とその続編が累計50万部を記録した。そういう驚異的な売れ方は、流行作家の菊池寛でもなかった。

『地上』は、母一人子一人の貧しい境遇で育った一人の野心的な青年が、社会の矛盾と恋愛の不条理に目覚めていく物語である。島清は既存の文壇とは無縁のところから登場し、貧しい青年の目から「公」との葛藤を描く新しい書き手だった。

天才島清は、よれよれの小倉袴を着て風呂敷に入れた原稿を持って売り込みに歩いた。新人の原稿を発掘する才があった新潮社の創業社長の佐藤義亮は、原稿を読み、一途な力強さを感じ成功を予感した。大正8年6月、『地上』は世に出た。初版は3000部だった。『地上』の出版直後、作品を絶賛する書評が時事新報に掲載された。書いたのは、著名な社会主義者堺利彦である。初めて日本に登場した社会的文学だと評価した。国民新聞主筆で、政治的に逆の立場の徳富蘇峰も激賞した。左右二人の大物文化人の評価で『地上』の売れ行きに火がついた。

続編も出版された。しかし未完の『地上』の続編は、完結篇にはなっておらず別の物語で同じような内容の繰り返しが多く、そのまた続編も支離滅裂で破綻していた。結局、島清は相手にされなくなり、昭和5年に精神病院で孤独な死を迎えた。

産業社会の闇を描いた賀川豊彦

大正9年、もうひとつのベストセラーが出現した。『死線を越えて』の著者の賀川豊彦は牧師であり社会運動家だった。複雑な家庭環境に育った賀川は神学校の学生となり、神戸の貧民街でキリスト教の伝道と慈善活動を行っていた。

産業社会は格差を生む。当時の貧民街は、一般社会とは断絶されていた。ゆすりやたかり、伝染病の蔓延などが日常化し、殺人や人身売買までもが行われていた。

貧民街の凄まじい現実に衝撃を受け苦労する青年が主人公の『死線を越えて』は、日本の暗黒面に焦点をあてたルポルタージュでもあり、悩める文学青年の「私」など吹き飛ばす力があった。

改造社の山本実彦社長は、キリスト教の牧師が自伝的な手記を書いていると聞きつけて原稿を読んだ。原稿は、ちり紙や広告の裏に書かれて、テニヲハも間違いだらけのひどいものだった。

ところが読んでみると妙な迫力がある。手記に『死線を越えて』のタイトルをつけ『改造』という雑誌に一部を載せた。すると製本屋の小僧が仕事中に食い入るように読んでいる。その姿を目撃し、ただならぬ気配を察知する。

『死線を越えて』が出版された翌年の大正10年、神戸の川崎三菱造船所で大規模なストライキがあった。賃金カットや長時間労働の改善を求めるデモ行進には3万5000人の労働者が参加した。労働運動としてはかつてない規模だった。運動の指導者のひとりが賀川豊彦だ。

結局ストは鎮圧され賀川らは一斉に検挙される。しかし大正デモクラシーを象徴するこの歴史的ストライキを指導した賀川の名前は一気に知れ渡り、本の売れ行きにさらに拍車がかかった。

第2部、第3部を合わせた部数は100万部を超え、賀川が手にした印税は15万円、現在の感覚で言えば5億円から6億円にもなった。

賀川豊彦にとって、貧しい人びとを救うため本を売ることもひとつの手段であった。牧師でありながら実務的で商才にたけていた賀川は、「賀川服」と呼ばれたコーデュロイのモダンなジャケットを売りさばいて、これも流行したので多大な利益を手にした。神戸の貧民街につくった神戸購買組合が現在のコープこうべである。

作家というよりも事業家として一発当てた賀川は、産業社会の悲惨な現実を綴ったことで文学に広がりをもたらした。

一発屋の島清と賀川豊彦、プロの作家ではない場所から、日本で初めての50万部、10 0万部というベストセラーが誕生したのは、狭い「私」を掘り下げていくだけでは時代を捉えることができないことの証明でもあった。

『文藝春秋』の誕生と芥川龍之介の自殺

『文藝春秋』はなぜ創刊されたか

ライバル芥川龍之介が漱石に絶賛されたころ、まったく無名でなかなか芽が出なかった遅咲きの苦労人・菊池寛は、島田清次郎と賀川豊彦のベストセラーに大衆が求める新しい方向性を嗅ぎ取っていた。

しかし、一発屋が成功しても作家は持続的に仕事を続けないといけない。流行作家として第一人者となった菊池は、売れない作家の苦しさもつぎつぎに新作の発表を迫られる流行作家の苦しさも、身をもって経験してきた。

よし、自分で雑誌を発行しよう、と『文藝春秋』（大正12年）を創刊した。マーケットに翻弄された作家自身が、作家のためにつくった画期的な雑誌だった。創刊号には菊池の交友の広さを反映して、人気作家から無名に近い新人まで多くの執筆者が名前を連ねた。「この雑誌に書いてくださる人に一言する。原稿料は原則として払う。特に文筆だけで食ってる人にはきっと払う」と言った。作家は増えたが多くはたいした原稿料をもらえていない。やがて『文藝春秋』は『中央公論』に追いついていく。

菊池寛は流行作家として成功したからポケットマネーで『文藝春秋』を発行できた。東京・雑司が谷の金山に大きな洋館を造り、金山御殿などと皮肉を言われるが、作品あるいは評論を書いてうまくいけば、菊池寛のようになれると多くの青年は考えた。

大正末から昭和にかけて、東京の人口は500万人に迫っていた。関東大震災は風景を一変させた。江戸情緒が残っていた東京は、新しいモダンな建物が増えた。娯楽も変わり、蓄音機もあれば、映画館もできた。

疾走する蒸気機関車のスピード感も新しい時代の象徴だった。こうした時代の波を捉えた新しい文体が文学にも求められていた。

時代の変化に敏感な菊池寛は、横光利一という新人の文章に感心した。時代の新しい鼓動が波打っている。

「真昼である。特別急行列車は満員のまま全速力で駆けていた。沿線の小駅は石のように黙殺された」

鉄とガラスでできている特急列車の無機質な物体の存在感、スピード感が映像的によく表されている。

生活者に浸透し始めた雑誌

作家は時代のセンサーでなければならない。

もはや巫女のアンテナではとらえられない速度で時代は拡張し始めた。交通手段がバスや電車になり、人びとの行動範囲が変化したのだ。映画という新しいメディアが登場した。映像メディアも文章のなかに言葉として取り込む。この文体は横光利一の新製品で、新感覚派と名付けられた。

メディアが拡張し、購買層も広がったのは確かだった。関東大震災の翌々年、新興の大日本雄弁会講談社が創刊した『キング』は74万部という驚異的な部数だった。

「日本一面白い！日本一為になる！日本一の大部数！」をうたった『キング』は、これまで雑誌を買わなかった読者層にも届いた。昭和に入ると『宮本武蔵』でベストセラー作家になった吉川英治も『キング』の常連となり、大衆文学と呼ばれるベストセラーがつぎつぎと生み落とされた。

自分の悩みを私小説に書いているだけであった文学青年たちの世界ではなく、生活者のなかに雑誌というメディアが浸透していった。

そこには多様なニーズがあった。小説や評論だけではなく、実用的な記事やお金の話、悩みごと相談など、メディアは生活の幅に対応して広がり深まって、さらに新しいものを求めていった。

出版マーケットが拡大するいっぽうで労働争議や貧富の差の拡大など、さまざまな社会問題に人びとの関心が集まるようになった。

その需要に応えたのは、新潮社の『社会問題講座』全13巻だった。一流の学者をそろえ、あらゆる社会問題を初めて体系化した。編集を任されたのは、大宅壮一だった。大宅は人びとの社会問題への関心を巧みに捉え、企画を成功に導いた。

大宅は、京都の旧制第三高等学校を出て東京帝国大学に進むが、仕送りはなく毎日毎日食べるために働いた。新潮社でアルバイトをすることになった。新潮社が『社会問題講座』シリーズを始めることになり、その仕事が回ってきた。

そもそも「社会問題」という言葉がない時代だった。多くの工場が建設され、特急列車が走り、近くにビルが建てられる。すると失業者もいれば、ある程度お金を持った中産階級も生まれ、そのような人びとが勉強したいと思い始める。

大学へ進学できるものは一握りでしかない時代、社会問題に興味を抱いても勉強する機会がない。学歴がなくても『社会問題講座』を読めば大学の講義を受けたも同然である。予約者は5万人に達した。シリーズもののベストセラーの始まりだった。

雑誌『改造』を出していた改造社もシリーズものを出した。社長山本実彦に経営危機を打開するヒントを与えたのは、関東大震災で大阪へ避難した作家の谷崎潤一郎だった。

「大阪のタクシーはどこまで行っても1円だ、俺の本を1冊1円で出せば売れるよ」

山本は、明治以降の作品をすべてそろえた『現代日本文学全集』を1冊1円で売り出そうと企画する。文豪たちの作品がこれまでの半額以下で手に入るその全集は、やがて円本と呼ばれ社会現象になった。ヒット商品の円本は出版業界に価格破壊をもたらした。

「ぼんやりとした不安」で自殺した芥川

大正から昭和の変わり目は、作家のあり方の転換期だった。

大正15年（1926年）12月、大宅壮一が『新潮』に「文壇ギルドの解体期　大正15年に於ける我が国ジャーナリズムの一断面」という評論を発表した。

文士は文壇ギルドという徒弟制度の世界の住人であった。だが作品が面白いか面白くないか決めるのは読者であり、文壇で親方に褒められるよりも、読者にどれだけ評価されたか、どれだけ売れたか、いまや市場が判断する時代だと主張した。

その象徴が芥川の運命だったともいえよう。

大正天皇崩御は大正15年12月25日なので昭和元年は1週間のみで、翌1月1日から昭和2年が始まった。昭和2年7月、芥川龍之介は「唯ぼんやりとした不安」という遺書を残して自殺する。

芥川は円本ブームに殺されたといっても過言ではない。ロダンの考える人に似たポーズを取る芥川の写真がポスターに使われた。多くの文学青年たちのイメージリーダーとして芥川ほど似合う容貌の作家はいない。

改造社は円本ブームの広告塔に芥川を起用した。芥川の講演旅行は過酷をきわめた。

5月13日の夜行で上野を発ち、翌14日朝に仙台へ到着、午後、仙台で講演し、翌15日に盛岡で講演。16日は午前中に盛岡を出て青森へ、青函連絡船に乗り函館に着くのは夜10時。17日、函館で講演。18日、札幌は北大と市内の中心にある小学校の2カ所で講演。19日は旭川まで移動して講演、その日のうちに札幌へ戻った。20日は小樽で講演、夜行で帰路、函館に向かうが、乗車前に改造社の山本実彦社長に電報を打っている。

疲労困憊《こんぱい》は極みに達していた。

「クルシイクルシイヘトヘトダ」

このとき芥川はすでに慢性の胃病に悩まされ、神経衰弱で睡眠薬を常用している。災難つづきだった。この年の1月に義兄が多額の負債を残して鉄道自殺している。その借金返済のため、改造社の求めに応じて宣伝映画に出たり、記念講演をせざるを得なかった。

芥川龍之介はいま〝純文学〟の象徴のような存在とされている。だが人びとのライフスタイルが激変する渦中で、大正時代初期のままに短篇のテーマしか描けない作家には、新しい時代を捉える腕力はすでに尽きていた。

太宰治のスター願望は、現代ならお笑い芸人

優柔不断な自画像〝人間失格〟

青森県の旧制弘前高校の津島修治は、芥川龍之介に憧れていた。考える人のポーズの写真がカッコいいと思ったので、写真館で同じポーズの写真を撮った。まずかたちから入るのはいまの若者と同じである。芥川の写真はいわば〝御真影〟であった。

スタイルだけでなく、太宰治というペンネームをつくり、文章もまねをした。作家はスターなのである。

だがそのスターであるはずの憧れの芥川は自殺してしまう。自殺する作家、それもまたカッコいいと憧れた。芥川への憧れは、文章だけではなく、容姿や雰囲気、作家としての生き方、フリーランサー、自由人であるなども包含している。

そのころからプロレタリア文学が流行し始めた。太宰は津軽の地主の息子だが、つぎの流行、新しいスターを追いかけるため、今度はプロレタリア文学の旗手、『蟹工船』の小林多喜二の文体をまねた。文体ばかりでなく、その気分をつかむために反体制運動にも近

づいた。

『蟹工船』の文体は、新感覚派の延長線のなかにあった。横光利一の新しい文体はハードボイルドの先駆けだったが、小林多喜二の『蟹工船』は、そのハードボイルドの技法で、北の海に浮かぶ過酷な船の甲板の描写を「細かい雪がビュウ、ビュウ吹きつのってきた」「波が一波甲板を洗って行った後は、すぐ凍えて、デラデラに滑った」など、擬音を多用した。えたいの知れぬ奇妙な迫力があった。

太宰は反体制運動に近づいたが、特高警察に逮捕されそうになり、昭和4年（1929年）に共産党員が一斉検挙されると、すぐにプロレタリア文学から撤退した。身の危険を感じて自殺未遂事件を起こしてうまく逃れている。小林多喜二は昭和8年に特高に逮捕され拷問で死ぬ。

太宰は自殺未遂事件を4回起こすが、いずれも作品の素材に使おうとした。小林多喜二になる度胸もなく、芥川のようにほんとうに自殺もできない。結局、太宰が書こうとしたのはそういう優柔不断な〝人間失格〟の自画像だった。

新たな時代の文学を求めて

ただ太宰は単にまねしていたわけではなかった。新しい動き、時代の先端はどこにあるかという流行のゆくえに非常に敏感だった。自分にはまだ見えないが、そこに行けば向こうには未来があると感じていた。

ほんとうはもっと何か新しい時代の文学、新しい時代の新製品があるはずだと彼は考えていたのだと思う。

明治時代から大正時代まで、これはいわば戦後の高度経済成長期に似ている。三百諸侯に分断されていた小さなカントリーがネーション空間へと拡大・飛躍し、グローバルな市場が誕生した。自由競争の産業社会で労働市場も流動化した。

ある程度の高学歴社会にもなった。初めは、自分がはたらくことは国家の一翼を担うことでもあった。一人ひとりが、家長の役割を担ってきたのだ。住む家もつくったし、はたらく場所も用意した。

だがある程度、国づくりができてしまうと、「公」のなかでの自分が担うべき役割が見えなくなってしまう。昭和初期になると若者に余計者意識が出てきた。学歴はあっても、目的が見えない。

太宰治はそうしたモラトリアム青年の一人だった。井伏鱒二は『荻窪風土記』のなかでこう回想している。

「当時、東京には文士志望の文学青年が2万人、釣師が20万人いると査定した人がいたそうだが、文学青年のほとんどはみんな、一日も早く自分の作品も認めてもらいたいと思っていた筈である。早く認められなくては必ず始末の悪い問題が起こってくる。私も早く認めてもらいたいと思っていた」

ぶつぶつ文句を言っているヒマなどなかった時代から、多少の家産、ストックがあるので、大学を出て好きな仕事を見つけたいと思う若者の一部が自分探しの「文学青年」を気取った。そこは戦後の高度経済成長後の世代と共通点があるし、「昭和」後の世代にはさらに目的が見つからないでいる。

文学青年2万人とは、いまならストリートミュージシャンやパフォーマーのようにすぐに就職しない人びとを指していた。ゲームクリエイターにもあてはまるだろう。あるいはお笑い芸人を目指して吉本興業へ入る若者たちだ。成功すればテレビに出演するスターになれるのだから。

ピース又吉は『火花』を書いた。生き残るために必死になっているお笑い芸人志望の若者群像を描いたのは、太宰治たち文学青年の姿によく似ている。自分が世に出るためにはどんなこともする。

太宰の時代にも実業は求められていた。東京帝国大学でも法学部や経済学部は官吏や実業界が有能な人材を探していた。そこは競争率が高い。太宰は文学部仏文科に無試験で入っている。

文学部などというものがあっても、就職先はせいぜい田舎に戻って旧制中学の教師ぐらいしかない。文学部が定員割れするのは当然で、新聞社も出版社もできたばかりの映画会社も募集人員はひと握りにすぎない。

もともと文学部は実学で、日本は欧米の文化を一刻も早く翻案しなければならないからつくられたが、もうその時代は終わっていた。

学校を出てただぶらぶら放蕩している。しかし、投機市場でひとヤマあてたい。せっかくだから東京で何かやりたい。

太宰は自殺未遂すら手段とした。事件を起こして素材を集める。太宰には弱さだけでなく、裏返しの強さがある。新しい企画を出して新製品を出す。自分を認めてくれるまでねばる。

しかしそういう「私」は、もはや「公」との関わりが切断されたただの放蕩息子でしかない。そんじょそこらの恋愛沙汰も、もはや田山花袋や平塚らいてうのころのような珍しさもなければインパクトもないのだ。

作家への道標は三島由紀夫とカポーティ

9カ月で大蔵省を辞めた三島

昭和20年(1945年)夏、日本は戦争に負けた。

その3年後、太宰治は5度目の心中事件を起こし、愛人と玉川上水に入水、前4回の未遂事件と違って今度はほんとうに死んだ。

太宰の作品は初版止まりが多かったが、戦後に『斜陽』で売れ始め、流行作家になっていた。いちばん有名な『人間失格』は出版目前で、心中事件の直後に刊行された。

遺体が発見されるまでに1週間もかかったこともあり連日の報道は過熱、このセンセーショナルな死によって『人間失格』は飛ぶように売れた。

その結果、太宰病の信者が増えた。誰でも思春期に自分は少しおかしいのではないかと悩む。だいたいはカウンセリングを受けたりすれば治る一過性の悩みであったりするのだが、当人にはそれがわかっているわけではない。

すでに述べたが、太宰治の悩みなど冷水摩擦をやれば治る類いの悩みだ、と三島由紀夫は喝破した。

その三島由紀夫は、太宰が自殺したとき東京帝国大学法学部を卒業して大蔵省に勤務して半年ばかり過ぎたころであった。

三島は、できれば大蔵省などに勤めずに卒業と同時に作家になりたかった。しかし、作家として収入が得られるか確証がなかった。

ところが『人間失格』が大ベストセラーになっている。これがベストセラーになるなら自分も作家としてやれると確信を抱いた。大蔵省に入ったころに頼まれていた書き下ろしのモチーフが忽然《こつぜん》と湧いてきた。それが『仮面の告白』だった。

太宰の心中から3カ月後に大蔵省を辞め、一気に書き始めた。「仮面の告白ノート」に三島はこう書いた。

「この本を書くことは、私にとって裏返しの自殺だ。飛び込み自殺を映画にとってフィルムを逆に回すと猛烈な速度で体側から崖の上へ自殺者が飛び上がって生き返る。この本を書くことによって私が試みたのはそういう生の回復術である」

太宰は死んだが、自分は逆に生き返る術を書けばよい。大蔵省を辞めたのだから、売れなければいけない。マーケット戦略としては、タブーになっている「性」に的を絞ることにした。

『人間失格』の告白のイメージを活用すればよい。自らの性の目覚めを同性愛やサディズムなどの倒錯した特異な性に絞り、そこにうぶな初恋体験も混ぜて自伝風に描いた。

私小説を支えた「結核」

『仮面の告白』が評判になった後、三島由紀夫の人生は順風満帆だった。『金閣寺』は当時の有名な文芸批評家の小林秀雄から高く評価された。そんな流れのなかで『鏡子の家』は完成する。

この小説は都会に暮らす若い男女の日常と、その後に訪れる暗転が描かれた。「みんな欠伸《あくび》をしていた」の書き出しで、高度経済成長とともに退屈な日常性がはじまるという三島由紀夫の状況認識がにじみ出ていた。

だが『鏡子の家』の評価は低く、当時の批評家には図式的でつまらないと酷評された。しかし三島の思いが込められたこの作品は、僕はいまでも悪くないと思っている。

その後、三島由紀夫は『豊饒の海』4部作を書き上げて、1970年11月25日白昼、市ケ谷の自衛隊駐屯地で自決したのは、すでに述べた通りである。

1960年代は、僕が高校生から大学生であった時代だ。僕は漠然と作家になろうかと考えていた。

20世紀の作家はつねに新しい方法論、新しいテーマの発掘、つまりクリエイターとしてつねに新製品開発の先端に位置していた。

冗談半分に言うのだけれど僕は結核に憧れた。作家になるための資格のように思われたからだ。ここでは省いたが、多くの作家が結核・肺病によって夭逝している。太宰治も結核にかかっており、心中事件の少し前に喀血していることで悲壮感が漂っていた。

戦後、ストレプトマイシンが処方されるまで結核は死に至る病であった。しかも20歳、30歳で死ぬのだからいまのがんの比ではない。がんは高齢化してからのほうがかかりやすいが、結核は15、16歳ぐらいでかかってしまうので、軽井沢の結核の病棟にいて、そこで恋愛する小説があったりする。この間、夏休みに軽井沢の追分宿を歩いていたら木陰に堀辰雄記念館があった。そんな作家がかつては人気だったのである。自分が死ぬ前提があるとドラマになりやすい。太宰治や三島由紀夫の世代は、戦争で死ぬか結核で死んだ人が多い。

「私」というテーマに僕は冷たい反応をしてきたのだが、誤解もあって「公」と拮抗しない「私」は掘り下げても意味がないと言ったままである。結核や貧乏など私小説を支えた個人的テーマ、世代全体をつつんでいたそのテーマはずっと存在したのである。

『冷血』という新製品

もう結核にはかからない、つまり作家の資格が得られない、と僕が思ったころ、1960年代後半、僕はトルーマン・カポーティの『冷血』を読んで昂奮した。

カポーティはカンザス州の寒村で発生した残虐な殺人事件に興味を抱き、加害者にインタビューしながらその心情へ深く入り込み、ひたすら事件のディテールを再現した。作家の想像力を超える世界がそこにあったからである。

カポーティの『冷血』は、軽くなった「私」へ衝撃をもたらすものであった。自己啓発や承認欲求が文学の形をとっているだけなら、そこにあるのは軽い「私」にすぎない。

無数のファクトを組み合わせながら社会の複雑な成り立ちを描くノンフィクションの手法は、経験の乏しい軽い「私」の先入観を裏切る力強さがある。結核も貧乏も消えてしまい書くに値するものがない、と随分とかまびすしく言われていた時代で、それだけに逆に新しい方法論への期待が強かった。『冷血』の、事実を徹底的に洗い出すファクト・ファインディングによって新たなリアルを見つける手法は大きな話題になっていた。

カポーティの『冷血』を、僕は新製品だと思った。文学青年の悩みごととは違う本当のリアルとはこういうものなのかと思っている。カポーティも、『ティファニーで朝食を』などいろいろな作品を書いていくうちに、現実で起きていることはなんだろうと思い、しだいにそういった方向で方法論を模索したのだと思う。

三島由紀夫もトルーマン・カポーティも作家としての僕の進み方にヒントを与えてくれた先達であることに間違いない。

三島由紀夫は、小説とは方法論の芸術である、と述べたが、日本の明治以来の小説は、これまで分析してきたようにしだいにある狭い鋳型にはめられ窮屈になっていったように思う。

純文学は芥川賞、大衆小説は直木賞、ノンフィクションは大宅賞とジャンルまで縦割りにされている。そう分類されてしまわないように、もっとスピードをあげて先へ先へと行かなければいけない。

僕は処女作『天皇の影法師』をそう思って書き始め、森鷗外の「公」との葛藤を分析し、その情熱の根源にあったものを見つけ、表現することにした。そうであれば、これまでのカテゴリではあてはまりにくい方法論が求められる。

「作家としての自分がこうあらねばならぬと夢想した作品は、これまでにない新しいスタイルでなければならないのであって、純文学も批評もミステリーもノンフィクションも学術論文も兼ね備えたもの、そういう欲張りな『新製品』なのであった」（『天皇の影法師』中公文庫版「あとがき」）

——では再び「公」をどのように取り込めばよいのか。

実務には興味を示さない作家

戦後に消えたものは貧乏と結核だったと書いた。もうひとつは戦争である。

昭和前期、外の世界で、日本は満州事変などという国際問題を起こしていた。満州に理想国家をつくると本気で信じて一旗揚げようと大陸へ渡った青年たちもいた。大陸浪人と呼ばれた。大陸進出は国内の閉塞感を打ち破る重要な国策として始動していた。太平洋を挟んで大国のアメリカとも緊張関係に陥っている。

司馬遼太郎は昭和初期の情勢を振り返って、作家が何をしていたのか、と嘆息した。狭い世界にしか関心がないから、軍事が国家予算の半分を占めているにもかかわらず、それに対する分析的な知見がない。

「日米未来戦記」というジャンルが存在していた。正確な数はわからないが日露戦争後に刊行されたものだけで500点ぐらい確認できる。ベストセラーもあった。読者の裾野は中学生から高齢者まで広い大衆が支えていた。ところが戦前まで大量に出版されていたこれらの未来戦記は、戦後ほとんど黙殺され忘れ去られている。

日露戦争が終わってから日本はアメリカを仮想敵国とし、日露戦争の翌々年には「帝国国防方針」が発表され、それに呼応するように、「もしアメリカと戦わば」というようなタイトルの作品がつぎつぎと生まれた。

たいがいは景気のよい結論、つまり日本がアメリカを打ち破る物語が主流を占めた。アメリカ西海岸のサンフランシスコを占領したところで講和を結び、めでたしめでたしで終わる作品もあった。だが航空機の性能が向上している現実が意識され始めると、敵は東京湾に侵入して新たな「黒船」として登場するのである。

いずれ日本は飛行機でやられる、だがその飛行機を上回る新兵器が代わりにやっつけてくれる……。しかし、現実にはそんな新兵器はないのである。

満州事変の翌年、昭和7年（1932年）4月号の『文藝春秋』で「上海事件と世界大戦座談会」のタイトルで座談会が組まれた。軍人と作家、日露戦争を体験した「戦中世代」と日露戦争を知らない「戦後世代」との間に意識の差があった。日露戦争にも従軍したことのある軍事評論家に対して、戦闘シーンに実感がない世代の作家はきわめて楽観的で空想的な発言を繰り出している。日露戦争から四半世紀を経ると戦争はすでに遠い記憶なのであった。

座談会では未来の日米戦争がテーマである。日露戦争を体験した50代の軍事評論家は、悲観的な見通しをはっきりと述べた。

「日本を屈するには持久戦に限ります。経済封鎖でも同様です。これくらいのことは西洋人もわきまえておりますから、われわれは4年でも5年でも堪え得る計画を立てておかねば不覚をとります。日本が経済封鎖をやられたならば、はたして4年、5年と堪え得るでしょうか。私は危ないと考える」

『雪之丞変化』や『淀君』が代表作の大衆作家三上於菟吉が怪気炎をあげている。

「あなた方、専門家の話を聞いていれば、もう少し経てば米国が仕掛けてくるというのでしょうが、なぜザックバランにやらんのです。どうして待っているんです」

「われわれは一所懸命に租税を納めて、負け戦まで待っているのは手ぬるいじゃありませんか。それより進んでやったら…」

戦後世代の作家たちはまったく好き勝手な予想を繰り広げた。

「永久に先方が来られないだけの威力を持っていればいいんです」

「じゃあ、軍備拡張もやらなければならん」

三上はそう納得するが、まだ不安でたまらない。

「しかし、米国のほうが一歩先に行きやしませんか」

このやりとりを黙って聞いていた菊池寛は、たまりかねてだろう、口を挟んだ。

「しかし、米国と戦争しても米国を征服していくことは出来やしないでしょう」

43歳の菊池の指摘はきわめて常識的なものだ。

それでもかまわず、28歳の平田晋策は、のちに少年雑誌に『昭和遊撃隊』を連載する人気作家となるのだが、こんな調子であった。

「空軍の利用によって彼（アメリカ）を制することができます」

「去年ごろから海軍は世界一の飛行艇を造っています。陸軍は世界一の飛行機を造っております。そういうことをして日本の航空界は躍進的成功をとげる暗示があるのです」

暗示があるといわれても困る。「世界一の飛行機」は「造っている」のであって、いつ完成するかわからない。願望に置き換えただけである。

「日本の技術家がほんとうに奮励して、よいものを造っておれば、数において劣っても、かなりよい戦がやれるのじゃないか」

願望はつづくが、現役の軍人たち（海軍大佐と陸軍中佐）は冷静な見解を述べて取り合わない。

海軍大佐は「米国は自分一国では日米戦争はやりますまい」とはっきり答え、陸軍中佐も「統帥部というものは、あくまでも冷静にしているのを本質としております」と実務家の姿勢を崩さずたんたんとたしなめている。

この座談会は一例だが、作家の認識はこんな程度であった。国際情勢についての知識に疎く、文士と呼ばれて無頼風に振る舞っている。「公」の部分はエリート官僚、エリート軍人の担うものとされていた。彼らの下には膨大な機密情報が蓄積していたが、作家はそれが自分たちに必要な素材だとは考えようともしていない。

軍国主義とはなにかと問う場合、固定観念を打ち破るひとつのヒントがここにあると思う。軍人が国民を引きずったのも事実だが、世論のほうも軍人の思惑を超えて戦争を呼び込んでいたのである。世論をつくったのは作家であった。日米未来戦記は、軍人と世論、この両者のきわどい境界に位置して探知機と拡声器の役割を負っていた。

森鷗外の生き方を「家長」と表現した。「公」の部分を内部に抱え込み、その責任を取る立場でファクトとロジックでものごとを考える人のことをそう呼びたい。だが日本の文学は家長が稼いだお釣りの部分で遊ぶ、放蕩息子の側が正統であるかのようであった。

こうして国民の生命財産の守護は、人知れず官僚機構に託されてしまったのだ。

第III部

作家的感性と官僚的無感性

表層を漂う全共闘

ソリューション・ジャーナリズム

新聞記者やテレビのコメンテイターなどジャーナリストや評論家は、すぐに権力という言葉を使う。権力を批判するのがジャーナリズムの役割だと主張する。だが彼らは発言に責任をもたない、つねに安全地帯にいる。フィールドのプレイヤーに対して外野席から野次を飛ばすのはよいが、野次はもともと無収入だがメディアはそれで収入を得るのだから、間違ったら責任をとらなければいけないはずだ。

これまで述べてきたようにこういうあり方のなかに「放蕩息子」としての作家の系譜が見てとれる。ジャーナリストは社会に起きている問題点を見つけ、ただそれを批判すればよいのではない。

問題点を見つけると自ずから、ではどうすればよいかとつぎのステップに進むはずだ。行政なり企業なりが気づいて修正していく道もあるが、どう修正するかという道筋も課題の分析のなかから導き出されるはずで、そこまで示せばビジョンと呼べるものに到達できる。告発や批判で終わるのではない。求められているのは、ソリューション・ジャーナリズムなのだ。

アメリカではこうした動きは早く、1970年代から速報性や当局発表とは違う独自の発見・分析にもとづく調査報道（インベスティゲイティブ・ジャーナリズム）、小説スタイルで人物描写など映像的なシーンを駆使してディテールから真相に近づくニュージャーナリズムが拡がり、さらに近年には課題解決を目指すソリューション・ジャーナリズムが生まれている。

課題をどのように解決すればよいか、欠点を集めて批判するのではなく、うまくできている事例を見つけることも必要になる。その道筋を探すのが、責任をとる「家長」としての作家の立場である。

行政や企業に責任を押しつけるのではなく、彼らが新しく生まれ変われるようなクリエイティブな提案をフリーハンドでする仕事が、日本の「近代」のなかで途絶えていた本来の広義での作家の仕事、クリエイターの役割である。

ここまで新型コロナウイルス、総力戦研究所、日本の近代文学史を巡る長い旅をしてきたが、これからどのように僕が「公」を作家の仕事のなかに取り戻そうとしてきたかを記していきたい。

「権力」という言葉をいまのメディアは非常に一面的、かつ画一的に使うが、実際に解決へ向かう際に、眼の前で立ちはだかるものが何かと考えたときに初めて現れるものだ。疑問は好奇心から生まれる。

ごくありふれた小学校の教室のなかでも、疑問さえ持てば校則の一つひとつにも複数の解釈が生じていたはずで、そこに違和感を覚えないまますうっと通りすぎてきた学校優等生はジャーナリストになっても、たぶん「権力」の姿は見えないと思う。近代の学校は、フランスの哲学者ミシェル・フーコーが看破したように、もともと監獄からヒントを得た収容施設としての性格を有しているからである。

僕は1946年（昭和21年）11月に生まれた。北野武や鳩山由紀夫は翌1947年の早生まれで、同学年になる。堺屋太一が命名した『団塊の世代』の走りだ。ベビーブームは非常に単純な因果関係、戦争が終わったのは昭和20年8月であり、両親の世代が戦地や軍需工場など動員先から引き揚げ、落ち着いて仕込めば翌年の秋ぐらいから徐々に誕生していくのは道理である。

団塊の世代は一学年が200万人でいまの2倍以上であったので、芋を洗うように揉まれて育った。型にはまらない生徒もいる。僕もその一人だったかもしれない。

小学校に入学したころ、僕は正門の脇に立っていた二宮金次郎の銅像に背後からよじ登って、何を読んでいるのかとのぞき込んだ。ひらがなは一文字もなく全部漢字だった。考えてみれば、『論語』など漢文の素読が江戸時代の初歩的な勉強法だったが、知る由もない。歩きながら本を読むことがただ不思議だったのだ。金次郎の視線が本と地面の双方に向いていなければ転んでしまう。背後からのぞいてそれを確かめる行為が好奇心だ。与えられた知識だけでなく、自分が見たもの、自分が発見したものを根拠にする、それが作家への第一歩である。

高校生のときに漠然と作家になりたいと思い、その手段として現役のときは医学部を受験し失敗したのでいったん上京し、東京で勉強することにした。しかし、母親が脳腫瘍を患って手術したため、地元の長野に戻って国立の信州大学人文学部へ進学した。

そのうちに全共闘の時代になった。そこで時間がいったん止まった。いまのコロナ禍のように、20歳で日常性を相対化して考える機会を得たことが本気で作家を目指す転機になった。

全共闘の時代

1968年はフランスでは「5月革命」と呼ばれ、先進国では学生運動が燃え盛っている。泥沼化したベトナム戦争への反対も理由のひとつだが、理由は必ずしもそれだけでなく戦後体制が一段落したところで噴き出した矛盾に学生が不満をぶつけ、世界的な潮流として対抗文化（カウンターカルチャー）や反体制文化（ヒッピー文化）が芽生えた。アメリカ・ニューヨーク州ウッドストックでは農場に空前絶後の40万人が集まったウッドストック・ロックフェスティバルが開かれ、長髪にGパン姿の男女であふれた。アメリカ西海岸のシリコンバレーも、こうした反体制文化が源流にある。

第二次大戦から20年あまり経ち、若者たちの叛乱が世界各地に同時期に展開したのは、ちょうど昆虫が古い殻が窮屈になり脱皮して新しい装いに切り換える姿に似ていた。新しい時代の経済・社会の膨らみに身の丈を合わせるための地殻変動であった。廃墟から始まった戦後体制が経済成長の時代に揺さぶられて転換する時期に至っていたのだ。

日本では1967年10月、羽田で学生と機動隊がぶつかり、京都大学の学生が死亡した事件がテレビに中継され、新聞も一面で報じた。そこからベトナム戦争反対運動が学生デモによって拡がり始めた。

ベトナム戦争は激しさを増し、沖縄の米軍基地からB52戦略爆撃機が飛び立っていたし、東京の王子に野戦病院がつくられた。日本がベトナム戦争の前線基地のような役割を果たしていた。翌年1月、長崎県・佐世保に空母エンタープライズが入港する。ベトナムへ向かうために寄港するのだから、学生たちにとっては、それいけという感じである。佐世保で機動隊とぶつかり合った。作家の村上龍は地元佐世保の高校生で、年長の大学生たちが機動隊から放水を浴びせられる姿を眺めていたと記している。

ベトナム戦争だけが原因ではない。団塊の世代が大量入学し、定員増で大講義室に学生があふれる私立大学も少なくなかった。使途不明金や授業料値上げなど私学経営に対する不信も発火点になっている。全国の国公立、私学の大半のキャンパスでは、机や椅子やロッカーで封鎖されるバリケードストライキが行われた。1960年の全学連による安保闘争は学生が隊列を組んで国会周辺へデモ行進するものだったが、60年代後半の全共闘運動はヘルメットに角材（ゲバ棒）で武装して機動隊との衝突（それをゲバルトと呼んだ）を繰り返す混沌《カオス》化した世界が生まれていた。

長髪にGパン姿の学生に「卒業したら、どうするのか」と訊いたら、「ヒッピーになりたい」と言った。そんなアホなことを言う者もいて、「それなら、卒業しなくてもいいますぐなればいいいじゃないか」と返した。

そういう時代であった。学生運動は、インカレでもあった。さまざまな学生と地域を問わず交流することにもつながったから、狭いサークル活動より規模感があって好奇心が刺激された。

マネジメントを学ぶ

だがしばらくやっているうちに、個人のフラストレーションの爆発や社会的な正義の発動などというタテマエよりも、僕はベンチャー企業の経営者とよく似たマネジメントの問題に向き合うに至ったのである。

信州大学ではいつのまにか全共闘運動の議長に祭り上げられていた。全共闘は時間が停止した世界だから、いわばフィクションのような状態である。大学をバリケードで封鎖して無から有をつくる非日常的な祝祭空間なのだから、つねに明日は何をやるかという企画をつくらないと崩壊する。企画を出した者が組織を引っ張る役割を負うのである。

作家の関川夏央は、当時の僕を、「彼はこの運動をマネジメントの稽古台と考えるに至った。決して左翼ではなかった」と評している。実際、全共闘のなかで僕が注力したのは非日常的空間、いわば空中の楼閣《ろうかく》を維持するためのマネジメント力を磨くことだった。

たとえば、東京のデモに100人の学生を送り出すとする、送り出すコストがいくらかかり、逮捕される割合が何パーセントで、そこから起訴される者が出てくる可能性が何パーセントぐらいか、そういうリスク計算をつねにせざるを得ない。

デモは、テーマごとに違う。安全なデモか危険なデモかでリスク計算も変わる。そのためには情報をとっておかないといけない。

さらにデモではどの部隊を先頭のほうに出すか、軍隊としての配置も考える。声をかけてどのくらい集まるかという歩留まりも計算する。マルクス教の狂信者は昂奮しやすいので先頭に配置し、デモに参加したいけれど怖いのは苦手という者は後ろのほうに置く。行く前と帰って来た際のカウンセリングも重要な仕事だった。

東大の安田講堂攻防戦は、おかしな作戦だと僕は思った。最後は玉砕とわかっている。それでは帝国陸軍と同じじゃないか。人を出しても無駄に終わる。けれど、お前のところは誰も出さないのかと言われたくはない。欠席はできない。

そこで思案して19歳の学生を送り込んだ。逮捕されても少年法にのっとって練馬の少年鑑別所送りとなり、不起訴処分で終わる。全共闘のリーダーとしてはそこまで考える。

結局、誰かがプロデューサー的な立場でつねに学生運動の持続可能性を考えていかないと立ち行かない。企画を出していかないと消えてしまう世界なのだ。

だから僕は、どんな祝祭もそうであるように「いつかは終わりがくる」と感じていた。1968年の新宿騒乱事件があったとき、新宿駅東口一帯は学生に占拠され、勤め帰りのサラリーマンも交じり投石を繰り返した。騒乱罪が適用され、疑似革命状態だった。

騒動が続いた時代を経て

だが実態は違っていた。現場にいた僕は喉が渇いたので、水を飲もうと思った。当時はまだ自動販売機もあまりない時代で、表通りから一本隔てた裏通りのパチンコ店に入ってコーラを飲んだ。見渡すと、酔っぱらったサラリーマンや化粧の濃いおばさんたちでパチンコ店は満員の盛況だった。

そこにはふつうの日常があった。高度経済成長の1960年代後半の風景である。「そうか」と、自分たちは表層に漂っているだけなのか、と。高度経済成長は、戦後の復興期に農村から都市への出稼ぎをはじめ衣食足りずで働きづくめの人たちがつくりあげたのだ。学生たちはそのおこぼれをもらっている放蕩息子にすぎない。

いずれ潮時が来ると思った。「ああもう終わりだな」と具体的に感じたのは、1969年11月の佐藤（栄作首相）訪米阻止闘争のときだった。実際、態勢を立て直した機動隊に学生は蹴散らされ、70年安保闘争とはいえ事実上は前年末に、いわゆる60年代後半の学生運動として終止符が打たれた。

しかし、よくあれだけの騒動があの時代に起きたと思う。三島由紀夫に「反革命」を宣言させるぐらい大きなイベントだった。

全国のほとんどの大学がバリケードストライキと呼ばれる封鎖空間になっている。すでに述べたが、もともと何もないのだから企画がなければ一歩も進まない。祭りにはあらゆるタイプの学生が参加しているからこそ規模感が生まれた。そのなかのゴリゴリのマルクスボーイには手を焼いた。

信州大学内で沖縄をどうするか議論したとき、あるセクトは「奪還」と言い、あるセクトは「解放」と言う。沖縄を日本国、つまり本土がアメリカから奪い返すから奪還、あるいは沖縄は本土を含めてアメリカの支配下にあるのだから解放、と僕からはどうでもよい議論なのに深夜になっても論争は終わらない。

マネジメントをする側からすれば、どこかで早く結論を出して立て看板をつくる作業に入らなければいけない。朝に登校する学生のためにつくる立て看板なのに、キャッチフレーズのためにいつまでも言い争っている。

だから僕は、もうこいつらとはやっていられないと思って、タイミングをはかって議論に割って入り、「沖縄奪還」でも「沖縄解放」でもなく「沖縄闘争勝利にする。これに決めた」と強引に議論を打ち切った。妥協でなく広義のアウフヘーベンである。他大学では当たり前だった内ゲバは、信州大学ではいっさい禁止した。

こういう不毛な言い争いが当たり前の世界だった。おかげで僕は、人と論争するコストが馬鹿馬鹿しいと思うようになったし、何かものごとを主張するときには、感情をぶつけるのでなく、文章表現でないと相手に伝わらないと思うようになった。言い争うのではなく、ファクトを出して、それを共有すればコミュニケーションは成り立つ。それより他にない、作家として表現すればよいのだと確信した。

霞が関の官僚機構を理解

1968年から1969年にかけて、僕は学生運動という名の〝疑似戦争プロジェクト〟のためのシミュレーションを、国立大学をバリケード封鎖してひとつ貸し切るかたちでやらせてもらったと思っている（道路公団改革で僕のつくったスキームにより、05年当時約40兆円の借金がいま29兆円まで減っているので、ちゃんとお釣りをつけて返したつもりである）。

この全共闘時代に、マネジメントの立場、家長（責任者）としてシミュレーションを経験したことが後の道路公団改革のときに生きた。また『昭和16年夏の敗戦』を書く際のヒントにできた。

運動のリーダーとして大学教授を壇上に上げ、大衆団交といって一人ひとりを論破していくときに、曖昧な姿勢をとる教授たちの姿に、これが日本なのだと感じた。

壇上の大学教授を一人ひとり、「なぜこうなったのか」と追及していくと、「それは私の考えじゃない、教授会で決めたことです」とほぼ全員が答える。実際に教授会で個々にどんな発言をしたのかと問い詰めても、「全体で決まったことです」という言い方に終始する。意思決定に個々人の責任感がない。日本的な意思決定に疑問を抱いたのはこの経験がきっかけであった。

なかに官僚的な答弁という意味で際立って頭脳明晰な教授がいた。頭が切れすぎて東京大学の先輩教授の地位を脅かすと忌避され信州大学に赴任させられた人物だが、霞が関のある審議会を仕切っていた。話を聞くと、まったく情報量が違う。こういう秀才たちによって「権力」というものが構成されている。極端な情報の非対称性があり対等になれない仕組みになっている。

ここで僕は霞が関の官僚機構のレベルを間接的に理解した。後の『日本国の研究』や、行政への関わりのなかで、中央＝霞が関の官僚に対する、この感覚は役に立ったと思う。

『ミカドの肖像』まで

上京後、親方業に就く

明けて1970年になったら、三波春夫の「こんにちは、こんにちは〜」の歌がテレビから流れてきた。世間は大阪万博ムード一色に染まった。三波さんには申し訳ないけれど、あんなにあっけらかんとした能天気な歌声はそれまで聴いたことがなかった。国民は高度経済成長の果実に酔っている。雇用も確保され、給料も上がり、団地も提供され住宅ローンも支払えるようになっていた。日本中が浮かれているのだ。

潮時である。ここから抜け出さなくてはならない。

僕は全共闘議長であり、バリケードの責任者でもあるため、大学4年生であっても就職試験を受けるためにバリケードを抜け出すわけにはいかなかった。このまま大学は退学になると思っていたら、東大で退学処分を下さない決定があり、全国の国立大は右にならえとなった。それどころか僕の場合は教授会で単位認定までされていた。要は大学の正常化のために早く出ていってほしかったのだと思う。

そこで卒業式を待たず1970年2月に上京する。在学中に就職試験を受けていない僕は、日本型の雇用慣習の壁に阻まれなかなか仕事が見つからず焦り始めた。年功序列・終身雇用のシステムの被害者であった。

早稲田大学を中退したプー太郎で、競馬新聞の記者をしていた友人と、そのまた友人の土建屋のドラ息子の誘いに乗り、起業することにした。

土建屋の息子が説明するには、工事現場の最終工程は人足を集めるだけで請負ができるから、資本金はいらない。そこでそのころ発刊されたばかりのアルバイトニュースで募集したら、学生が驚くほどどんどん集まった。

学生運動崩れを集めた建設現場の親方業は順調にスタートした。完成間近のマンションには、工事中に出たコンクリートの塊やゴミがたくさんある。その片付けを請け負い、人を集めて差配すればよい。全共闘のリーダーをやったので、学生をマネジメントするのは慣れている。

学生アルバイトには、東大中退も高校中退もいた。大学は長い間バリケードストライキばかりやっていて、すっかり騒ぎも片付いたのに学校を辞めてしまったり授業に出る気がなかったりする学生が珍しくなかった。現在のコロナ禍のような奇妙な休暇気分が常態化していた。

ある日、ヒッピー風の長髪に髯面の男が、仕事をやらせてくれ、と言ってきた。無口でよくはたらいた。幾日かともに行動しているうちに冗談を言い合う間柄になった。

「三島由紀夫は凄いよ。ほんとうに死んじゃうんだものな」

乾いた小さな声である。短い沈黙のあと、ぽつりと言った。

「死ぬって、凄いなあ」

僕は冷静な口調で遮った。

「でも、小説に書いてあるような出来事なんて、実際にはないんだ」

彼は遠方に視線を泳がせ、またつぶやいた。

「死ぬって、凄いなあ」

僕はそういう気分からはすでに醒めている。髯面に諭すように言った。

「青春にクライマックスがあるっていうのは、あれはウソだぜ。小説と現実は違う」

数年後、丸の内の三菱重工ビル爆破事件が起きた。しばらくして朝刊の一面トップに「連続爆破事件で7人逮捕」の文字が躍った。「東アジア反日武装戦線」と名乗る彼らの顔写真のなかに、長髪を刈り込み髯をきれいに剃ってサラリーマンに変装した背広姿のあいつの顔を見つけた。僕の眼は釘付けになった。逮捕される直前、青酸カリ入りのカプセルを呑み込み自殺、テロリストらしい死に方を選んだのだろう。信念に命を懸ける、という生き方、三島由紀夫にはこういう影響力もあったのだ。

当座の糊口《ここう》をしのぐ仕事は発明したが、それは目的ではない。高校時代から考えていた作家になる目的、全共闘の体験から得た問題意識などを整理しなければいけない。

学生運動は表層のモダニズムにすぎないと見切りをつけた段階で、ふつうの人びとの意識の底にある日常性、その底の地層にあるナショナリズムのかたちを解明してみたいと思うようになっていた。福澤諭吉の説く「人間交際」の場所に錘を垂らしてみたい、と。

日本的ナショナリズムの研究

ナショナリズムは日本の近代をつくってきた原動力であり、その原動力は、表層のモダニズムとは違う深い部分で、日本の風土や天皇制という求心力と結びついているのではないか。

日本的ナショナリズムを解明することによって、日本とは何か、日本人の心の奥底に潜む集合的無意識、「空気」とは何かが浮かび上がってくるに違いない、と確信した。それに、そうした日常性に立って日本の近代やナショナリズムを捉え直すことができれば、僕自身の位置や立場も見えてくるはずだと思った。

同時に、反権力と主張しているだけでは駄目だとも思っていた。全共闘のなかでマネジメントをやっていたせいか、僕は体制側の論理、家長の立場がわかってきた。「元号」をつくらなければならなかった森鷗外に辿り着くのはもう少し先であったが。

1972年4月、25歳のとき、日本政治思想史を専門とし、『日本浪漫派批判序説』『歴史と体験』の著者、橋川文三に教えを請うため、明治大学大学院へ入った。授業料は、建設現場の親方の仕事で稼いであった。

橋川文三は、東大法学部教授で『現代政治の思想と行動』や『日本の思想』などで知られる丸山真男の異端の弟子であった。ナショナリズムとは何か、日本の近代とは何かを学び直すには、橋川先生に学ぶのがよいと考えた。橋川文三は戦前の過激な右翼思想に取り憑《つ》かれた若者たちと極左的な全共闘の学生たちは「等価」である、と自らの体験を踏まえて述べている。右翼と左翼という分類では日本の「近代」は捉えられないとわかった。

翌年、オイルショックで建築関連の仕事が下火になったこと、学生が大学へ戻り始めたことなどがきっかけで別の仕事を探し始めた。

大学院で橋川先生には、著書を読むだけでなく直接疑問点をぶつけることで考えが整理された。以来、明治時代から日本の近代を捉え直すという僕の考え方は、ずっと不変である。

大学院に通ったのは1年ほどで、3年目にかなり自信をもって修士論文を仕上げることができた。橋川先生からは「君は、僕のような大学教授の狭い枠に収まらず、物書きとして論文の枠にこだわらない世界で勝負しなさい」と励まされた。

そう言われてもすぐにできるわけがない。当座は雑誌などに雑文を書いて暮らすしかない。「大学教授の狭い枠に収まらず」が、作家としての役割を果たすことであるとわかっていたが、近代日本の屋台骨である官僚機構との対決へ進むとまでは、考えも及ばなかった。

戦前も戦後も「官僚主権」の日本

戦後の一般的な感覚は、戦争が終わった1945年に線を引き、戦前と戦後を分けるのが当たり前になっている。しかし、その考え方が歴史認識を曇らせてしまうのであり、戦前と戦後の連続性、共通するところを捉えないと「近代」というカテゴリーにならない。

たとえば、天皇主権から国民主権に転換したと学校の教科書は説く。

しかし実態は、戦前も戦後も「官僚主権」であった。明治憲法下では官僚が法律をつくった。すべての法案を議会が審議したわけでなく、立法府とは別に天皇の名の下に勅令を発することができた。戦後の新憲法で初めて、立法府が法律をつくる唯一無二の機関とされた。確かにここが、旧憲法と新憲法の大きな違いの一つである。

その違いは、風景としても見つけることができるのだ。

国会議事堂に向かって左側に9階建ての衆議院法制局、向かって右側に同じく9階建ての参議院法制局が建っているが、ほとんどの国会見学者はその建物の存在を気にとめないでいる。

国会は〝法律生産工場〟のはずだが、霞が関の各省がつくり内閣法制局でチェックして政府提出法案（閣法）として国会で審議されると9割が成立するのだが、国会議員がつくった議員立法は2割弱しか通らない。国会議員の実状は法律の生産でなく梱包部門でしかない。

GHQは日本の官僚主権を是正するため、アメリカでそうであるように国会議員に法案をつくるスタッフを用意しなければいけない、と考えた。そこで先に説明した衆議院法制局と参議院法制局を設置して、国家議員が法案を作成するためのスタッフを用意したのである。しかし、宏大な霞が関の官僚機構の敷地と人員に較べると、衆参両法制局は相対的にかなり小さい。アメリカの議会スタッフとは較べ物にならない。

立法は国会の専権と憲法で規定されながら、いまも官僚が法律をつくっている状況は戦前と変わらない「官僚主権」なのである。

では日本を動かしているのが「永田町」（政治家）ではなく「霞が関」（官僚）だとしたら、「霞が関」とは何ぞや、その別動隊のような「虎ノ門」（特殊法人など政府関連法人）とは何ぞや、を構造的に問わなくてはいけない。この観点が、後の『日本国の研究』や『道路の権力』などにつながっていく。

官僚主権の日本の近代を問うことは同時に、天皇とは何かを問うことにも重なる。すでに第Ⅱ部で書いた通りである。

まだ1980年段階では昭和天皇の死は間近ではない。だがもしものために1979年に元号法がつくられた。終戦以来、元号の規定が消えていたから、そのままだと「昭和」が終わったら元号が無くなってしまう。

僕もそこが気になっていた。そもそも天皇が代替わりするという体験は「昭和」が長かったのでほとんど忘れられていた。

そこで昭和の元号スクープ事件（光文誤報事件）、天皇の棺を担ぐ特別な役目を持つ八瀬童子の存在、森鷗外が「元号考」を最後の仕事として選んだことなど、天皇の代替わりこそが日本的近代の特異点が表れる場所と考えた。

当時は、近代国家としての日本とは何なのかという問い直しをしないまま、昭和天皇の崩御を迎えてしまうような流れだった。これでいいわけがない。だからこそ『天皇の影法師』がその答えになるように意識していた。やがて訪れた昭和天皇崩御と改元では宮内庁のテキストとして重宝した、とある元侍従長から礼を言われた。

『天皇の影法師』とは別に並行して書き始めたのが『昭和16年夏の敗戦』だった。二つの作品は表裏を成すものであった。

すでに述べたが、確固とした意思決定のないまま日本は戦争に突入していった。日本には国家の意思決定の中枢がないのである。

天皇は「空虚な中心」で、明治維新のときから中枢が不在になる可能性があるという制度的な不備があった。明治憲法では天皇に絶対の権力があるとされていたが、実体は君臨すれども統治せず、であった。

第I部で述べたように統帥権は内閣から独立して大本営＝軍部が担うことが慣習化していた。軍部と内閣との統合機能は元老たちが人治でカバーしていた。ところが明治国家をつくった元老がすべて死んでしまうと縦割り（軍部も含めて）の官僚機構しか残らない。対米戦争は、決断して始めた戦争ではなく不決断により突入してしまった戦争だった。

『昭和16年夏の敗戦』では、この意思決定の構造を描きたかった。そのころエズラ・ヴォーゲルの『ジャパン・アズ・ナンバーワン』がベストセラーで、年功序列・終身雇用や根回しの文化（意思決定はボトムアップで遅いが決まるといっせいに実行する）など日本企業のシステムのすべてが過大評価されていた。

ベストセラーのつもりで書いた『天皇の影法師』はあまり売れなかった。ベストセラーは『ミカドの肖像』（1987年度・大宅壮一ノンフィクション賞）まで持ち越しになった。『ミカドの肖像』では、なぜ、西武グループは皇族の土地にプリンスホテルを建てたか？なぜ、オペレッタ「ミカド」が欧米人から喝采を浴びるのか？　なぜ、明治天皇の「御真影」は西洋風の風貌になったのか？　という問いを立てた。その問いを解いていく過程自体を物語にした。

『ミカドの肖像』のあとは、『土地の神話』（1988年）、『欲望のメディア』（1990年）を書き、ミカド3部作とした。天皇と絡めて日本の近代がどのようなものだったか、日本人の認識の共通基盤をつくろうとする試みだった。

官僚機構の正体をつかむ。『日本国の研究』

日本の権力構造をひもとく

没後25年を期して『ペルソナ三島由紀夫伝』を書いた。三島由紀夫の祖父平岡定太郎が平民宰相原敬に重用され、樺太庁長官に抜擢されるが、スキャンダルに巻き込まれ失脚した、というこれまで知られていなかったルーツから物語を始めた。三島由紀夫が官僚の家系であったことも動機だが、日本の権力構造の謎をつきとめるために官僚機構の現在について分析してみようと思った。

まず官僚機構を風景として捉えることができるかどうかである。

森林開発公団という、当時3兆円の借金を抱えてその借金が増え続けていた特殊法人があった。このごろは公社・公団を××機構と名称をいっせいに切り換えており、かつての森林開発公団は、いま国立研究開発法人森林研究・整備機構森林整備センターという長ったらしい名前にしている。

借金が累積するのはなぜか、まず現場を見ておこうと、山形と新潟の県境にある朝日連峰の林道に足を運んだ。数時間かけて標高1000メートルの尾根に辿り着いた。連峰だから尾根が連なっている。驚いたのはそこに幅員7メートルのアスファルトで舗装された道路があったことだ。路側帯まであるその道路は4キロほど、稜線に沿うかたちで這っている。

不思議な道路で、起点と終点がない。入口も出口もない。沢に沿った林道を徒歩でジグザグに登ってきた。尾根までクルマが登ることができないのに、稜線に沿ってクルマ用の道路がつくられているのだ。

アスファルト舗装の道路は補修工事中であった。冬になると積雪が4メートル以上になるから路肩はところどころ崩れている。夏になると補修し、冬には崩れる。それを繰り返している。賽《さい》の河原の石積みと同じである。地元では、それで雇用が賄えるのかもしれないが、日本国の借金は累積していく。

しかも眼に映じたのはそれだけではない。登ってくる途中、600メートルを超えたあたりから植林された杉が赤茶けて立ち枯れしている。このあたりでは杉の標高上限が600メートルであるにもかかわらず1000メートルまで植林した。虎刈りのように伐採されたブナ林に代わって、背丈の低い赤茶けた杉が点々と孤立し放置されている様子が明瞭となり、いっそう無残である。ブナ林の水をためる力に較べて人工林の杉はその機能が弱い。そのうえ立ち枯れの杉ではまったく保水力がない。雨水で流された土砂で沢が埋まってしまう。

枯れるとわかっているのになぜ杉を植えたのか。1本植えるごとに補助金をもらえるからだ。

この場合、杉とは何かである。パチンコ店のシステムに似ている。出玉は直接に現金とは交換できない。出玉を渡し、代わりに現金交換用の物品をもらい、裏の薄暗い小屋で現金と交換する。杉の苗は木材の杉に成育しない。記号としての杉なのである。無駄な税金を投入して、わざわざ人の心を荒廃させる仕組みをつくっているようなものだ。

国民が知らないうちに補助金がつぎ込まれ、巨大な赤字が累積される構造が、こうした風景として見えていれば、なるほど、と思うだろう。

官僚機構をできるかぎり風景として描き、その構造をひもといていったのが1996年に書いた『日本国の研究』である。

東京の風景から官僚構造を捉える

森林開発公団だけでなく、特殊法人や公益法人にはどこも似た問題が隠されている。旧ソビエト社会主義共和国連邦（ソ連）が崩壊してから5年近く経っていたが、日本国の内部に〝社会主義国〟が寄生し、肥大化しているのだとしたら……。非効率な〝国営企業〟を民営化するなり、債務処理を進めるなりして何とか始末をつけなければいけない。

霞が関の官僚機構には独自のシステムがある。国家公務員総合職試験に合格するとキャリア官僚のエリートコースを保障される。財務省ならば20代の後半で地方の税務署長を経験させられ、30代に課長補佐に、40代で課長になる。そこまではいっせいに昇進するが、局長のポストは限られている。さらに事務次官は同期で1人しかなれない。イス取りゲームのようなシステムである。だから50歳ぐらいから順に肩たたき＝早期退職をせざるを得ない。

そのために特殊法人のポストがあり、さらに特殊法人の傘下の公益法人へと二度、三度と天下りする。渡り鳥人事とも呼ばれている。

問題は二つある。

このシステムだと、企業のトップの社長にあたる事務次官は1年しか就任できない。民間企業の社長のように少なくとも1任期4年ぐらいやると、3人が事務次官になれない。事務次官ポストに就くと、財務省なら天下りポストも日銀総裁やら日本政策投資銀行、国際協力銀行など格の高いところに落ち着ける。

財務省の政策をきちんと実現するために事務次官のポストがあるのでなく、1人のポストを4人で分けてそれぞれが恩恵に浴すことが目的なのである。そうであれば1年の任期をつつがなく無難に終えることが目的になり、リスクを取ってまでも業績を果たすことは二の次という考え方となる。国家よりも、省益つまり組織の永遠の存続が使命となってしまう。

二つ目の問題は、天下り組織の自己増殖である。先に例を挙げた森林開発公団は、農林水産省の天下り先であった。天下りした官僚は、そこにどのような無駄が蔓延り、累積債務がどうであろうと経営の責任を負わない。渡り鳥として一時滞在してまた飛び立って行くからだ。民間企業と違って倒産する心配もない。

こうしたシステムが白昼堂々と行われている。『日本国の研究』でその実態を解き明かした。

特殊法人や公益法人の分析を深めていくうちに財政投融資という第2の予算のあり方に問題があるとわかってきた。

1960年代、産業基盤をつくり高度経済成長にテイクオフするまでは官主導の経済だった。その過程で公共事業を行う特別会計がつぎつぎとつくられた。高速道路なら日本道路公団、住宅政策なら日本住宅公団など特殊法人をつくり、一般会計の税金に頼らず、郵便貯金や厚生年金を原資とする財投資金を活用した。

1965年に5兆円足らずであった財投は30年後の1995年には400兆円にまで迫っていた。この潤沢な資金が特殊法人へと注ぎ込まれた、というより押し込まれたのである。その結果、事業をひたすら拡大するインセンティブが生まれる。

官僚機構は風景から見える、と述べたが、課題は作家的な感性、センサーで捉えると、学者とは違う角度から本質をつかむことができるのではないか。

1965年といえば、僕が大学受験のころ母親は突然、脳腫瘍を発症した。CTスキャンの機械もない当時の医療水準では長野県内では充分な治療ができず、結局、上京して虎の門病院へ入院した。手術は、朝8時から夕方まで、ずいぶん長くかかった。

すでに父が亡くなっていた僕は、母の手術の心配と孤児になるかもしれない僕自身の前途の不安を抱え、病院の屋上でスモッグのかかった赤茶けた東京の空を眺めていた。日本で最初の高層ビルである霞が関ビルができたばかりのころである。新橋方向を見渡すと5階建てや6階建ての雑居ビル屋上の塔屋に森ビルの看板があちらこちらに見える。番号まで書いてある。森20とか森30とナンバーの入った森ビルの林立は印象深くて、ずっと記憶していた。

なぜ森ビルが同じエリアにこれほど林立できたのか。別に悪いことをしたわけではないのだけれど、その理由が特殊法人や公益法人の取材・調査をしているうちに見えてきた。

1960年代、行政を代行する特殊法人や公益法人がつぎつぎに設立され、オフィスの受け皿として雑居ビルが必要であり、ニーズを一手に引き受けて成長したのが後発の森ビルという構図。特殊法人や公益法人は家賃を値切ることのない優良な店子なのだ。

六本木ヒルズなどカッコいいビルをつくるはるかな昔、森ビルの原始的資本蓄積の過程を、僕は虎の門病院の屋上から眺めていたわけである。

結局、日本の権力構造は永田町―霞が関―虎ノ門のトライアングルで成り立っている。霞が関は永田町に政策実現の省益を期待し、永田町は虎ノ門から献金を受け、霞が関は虎ノ門へ天下る。東大法学部の政治学講義ではそういう生きた歴史を教えない。

道路公団の数字のからくり

日常の風景は、疑問をもたないと車窓を過ぎるただの景色でしかない。

高速道路には陸橋がなぜ多いのか。中央高速道路の八王子近辺や、東名高速道路の大和陸橋の近くでは、それこそ100メートルに1本ぐらいの間隔で、高速道路をまたぐ橋がかかっている。数本をまとめて1つにすればいいのに、なぜあんなにたくさんの橋がかかっているのか、と運転しながら疑問に感じていた。多摩川に100メートルごとに橋があったら変に思うが、なぜか高速道路ならおかしいとは思わない。

道路公団は高速道路を建設するために土地を買収する。その際、コスト意識がないから「私の農地が高速道路で分断されてしまう。だから農地をつなぐ橋をかけると約束してくれないと土地を売らない」などと要求されると、自分のふところを傷めるわけではないからすぐに応じてしまうのだろう。

建設費は利用料金に上乗せすればよい、実際そうしてきたからどんどん料金が上がってきたのだ。

道路公団には建設コストを引き下げ、無駄を省くという発想がない。だから1本につき2億〜3億円かかる陸橋が100メートル間隔にできてしまう。民間企業なら、何とかして地元を説得しにかかるだろう。コスト意識のない世界はかくも恐ろしい。

これを野放しにしておくとたいへんだと危機感は高まるいっぽうだったが、特殊法人や公益法人は正確なデータをなかなか出さない。

現地調査をし裏付けを取り、ファクトを示して資料請求を繰り返した。

道路公団と並ぶ大きな公団、住宅・都市整備公団、いまのUR都市機構が売り出した横浜の港北ニュータウンの新しい開発エリアが思惑通りには売れていないとわかってきたので、販売済みの住戸の比率を数字で出せと求めた。

出してくる数字は予想とは異なり、販売不振の様子はうかがえない。

僕は自分でクルマを運転して夜中に港北ニュータウンに出向き、明かりのついている窓の数を数えた。夜8時を過ぎて明かりがついていたら、そこは人が住んでいると考えたのだ。そうやってサンプル数から論理的に全体像を導き出して、公団が公表している数字の虚偽を見抜き、正確なデータを公表させた。

こうして『日本国の研究』を、『文藝春秋』の1996年11月号、12月号、97年1月号に連載した。締めくくりとして97年2月号で、小泉純一郎厚生大臣（当時）と対談した。それが小泉さんとの初めての出会いだった。

当時の橋本龍太郎内閣は行政改革をスローガンとしていた。厚生省と労働省をくっつけて厚生労働省、文部省と科学技術庁をくっつけて文部科学省、建設省と国土庁と運輸省と北海道開発庁をくっつけて国土交通省と省庁は再編されたが、名前がくっついただけで規模に変わりはなかった。たとえれば、羊羹を細く切るか太く切るかでしかなく、羊羹の長さはまったく同じで小さくなったわけではなかった。行政改革は官僚機構の抵抗で、結局、霞が関の役所の数を見せかけだけは名前をくっつけて減らしたが、実質は変わらずで、改革は矮小化されて終わり、むしろ悪くなった。厚生省と労働省をくっつけて厚生労働省にしたが、厚労省は医療・年金から雇用保険まで社会保障政策全般を一つの役所が管轄する。国家予算の3割が費消される。大臣が二人から一人になれば「官」に対しての「政」のグリップは弱まるばかりだ。特殊法人などの廃止・民営化はまったく手もつけられなかった。そればかりか、財政赤字を減らそうとして緊縮財政にした結果、景気は失速する。道路特定財源にメスを入れるなど財政の構造を変えることがまったくできずに、橋本内閣は退陣した。

それからしばらくは、行政改革には触れまい、とする空気が永田町周辺で醸成された。

郵政民営化と『日本国の研究』

1999年9月になって、久しぶりに小泉さんから連絡があった。

郵政三事業の民営化について勉強会を開くから講師をやってくれ、だった。郵政三事業とは郵便事業、郵便貯金、簡易保険を指す。当時の金額で、郵貯はおよそ240兆円、簡保は120兆円、加えて年金が140兆円も残高があった。

この巨額が、運用のための貸し出し先を求めて特殊法人などへ押し込まれ、特殊法人の側ではやみくもに事業を肥大化させ、結果として赤字を垂れ流している構図だった。

つまりは、郵政三事業という「入口」と、特殊法人や公益法人という「出口」の一体的な解決こそが構造改革のはずである。

国会議員にはこの構図をどうしてもわかっていてほしかったから、講師の依頼を引き受けて議員会館の会場に出かけ、おおむね『日本国の研究』の内容を説明した。

居並ぶ面々は野党の民主党議員のほうが多い。奇妙な会合だと思った。自民党では小泉さんは孤立していたのだ。僕は小泉さんに、首相になって僕の提言を現実のものにし、虎ノ門の改革をする気があるかと問うた。

「平時では無理だな。乱世になれば出番はある。このままでよいはずがない」

小泉さんはそう言って、口を真一文字に結んだ。

その後、小渕恵三内閣、森喜朗内閣と続く当時の自民党政権の流れを見ていたら、小泉さんの出番はないものと考えるのが自然だった。ところが森首相が急速に支持率低下により退陣する事態で急転、まさかと思っていた小泉内閣が誕生する。2001年4月のことだった。

道路公団民営化までの道のり。『道路の権力』

道路公団民営化の序幕

2001年4月に小泉さんが総理大臣になり、小泉政権が誕生した。突然のことなので政権発足後に小泉さんが掲げていた公約をきちんと見ていなかった。

郵政三事業の民営化・行財政改革などの文言は記されていたが、日本道路公団民営化が書いてない。おかしいじゃないかと思って、電話でアポを取り、官邸に行って道路公団民営化を断行するよう進言した。

小泉さんは僕の説明に耳を傾け、「(道路公団など特殊法人の実態を分析した)『日本国の研究』の著者として、新任の石原伸晃行政改革担当大臣をサポートしてほしい」と即断した。石原行革担当大臣の諮問機関として行革断行評議会を設置し、僕がその委員を引き受けた。私的諮問機関だから、勝手につくってしまえばよいのだ。

まずは特殊法人へ投入されている補助金、つまり税金5兆3000億円のうちの2割、つまり1兆円の削減を数値目標として明示するよう小泉首相に進言した。

これだけの削減をするには、日本道路公団のような全体の趨勢を左右するカギとなる特殊法人を廃止・民営化するしか有効な手立てがない。道路公団だけで３０００億円の税金が投入されていたのだ。

ところが２００１年12月に最終決定する２００２年度予算案は、プロセスがあってその年の夏までに各省庁からの概算要求が出揃ってしまう。そのときまで手をこまねいていれば、廃止・民営化といった大ナタを振るう流れにはならなくなる。

そこで７月31日、小泉首相に「特殊法人については組織の廃止・民営化しかない」と号令をかけてもらった。８月６日には、再度小泉首相に会い、道路公団の民営化が可能であることを数字で説明し、納得してもらった。

道路公団は民間ではあり得ない独特の会計方式で債務超過を装っているが、キャッシュフローが潤沢であり、税金投入せずとも無駄な建設投資を抑え、コスト削減すれば自立できる。通行料金を下げてでもきちんと返済計画をつくれば40兆円近い借金を完済できる見通しを立てられるのだ。公認会計士といっしょにプレゼン資料をつくった。

プレゼン資料は数枚、必要な図と数字のみで、できるだけシンプルにした。

「ほんとうに民営化できるのか」

小泉首相は、単刀直入で丁寧語を使わない。こちらもいっさい忖度はしない。

「理論的に可能です」

「ほんとうか」

僕は言い切った。

「できます」

「よし、わかった。それならやる」

道路公団民営化に立ちはだかる壁

8月10日に各省庁からはゼロ回答が出揃ったが、小泉首相は11日、この回答を一蹴し、廃止・民営化を含む抜本的な対策をするように指示。流れは特殊法人の廃止・民営化もあり得るという方向に傾くことになる。

その年の秋には、行革断行評議会で公認会計士ともじっくり話し合い、僕が絵図を描いた道路公団民営化プランができあがり、つぎは実際に民営化を進める民営化推進委員会の立ち上げの段階にきた。

ここで大騒ぎになった。2002年1月のことだ。永田町からは明確に、霞が関からは水面下で、猪瀬を民営化推進委員会に入れるな、の大合唱である。

2月に入って、小泉さんから僕に電話がかかってきた。「ちょっと待ってほしい」と。人気の高かった田中眞紀子外務大臣を、事務方との答弁の食い違いで国会に混乱を招いたという理由で更迭した結果、小泉内閣の支持率が急落していたので、小泉さんも強行突破をするのは難しいと思ったのだろう。

道路公団民営化を恐れる自民党などの実力者たちが、民営化推進委員会に権限を与えるならば、その人選には国会承認が必要と主張し始めた。

自民党の山崎拓・幹事長、公明党の冬柴鐵三・幹事長、保守党の二階俊博・幹事長が揃って官邸を訪問し、小泉首相に、猪瀬を委員に入れるのなら国会で承認しない、と申し入れに来た。3幹事長の官邸訪問が、NHKの夜7時のニュースとして流されるほどの大事になっている。

だが結局は、半年後の2002年6月21日、道路関係四公団民営化推進委員会の人選が正式発表され、僕は7人の委員のなかに入った。第1回の会合が開かれたのは6月24日である。

政界の実力者との静かな戦い

いま振り返ると、民営化推進委員会が無事に船出できたのは、2001年のうちに僕自身が自民党の実力者たちに会っておいたことが、足固めとしてよかった。

最初に小泉さんに会い、道路公団民営化プランを説明したときには、僕は企画案作りを手伝うだけで、あとは政治家がやってくれるものと思っていた。

ところが、結局、誰も手を挙げない。番記者からは「猪瀬さん、道路公団民営化をやろうという国会議員は一人もいませんよ」とかわいそうな人を見つめるように評される始末

道路公団民営化までの道のり。『道路の権力』

だ。道路公団の抱える問題についていちばん知っているのは『日本国の研究』の著者である自分だとの自負があった。批判だけして何もしないのではなく提案すべきという意識もあった。森鷗外の「家長」の意識である。

そこで仕方なく、使命感で、自分が汗をかく側にならざるを得なかった。そう腹をくくったあと、道路公団の分割民営化を進めるうえで、腹の内を知っておかなければいけないのは誰か。立ちはだかるとしたら誰か、と考えた。

知人の官僚に「早く会って真意を説明したほうがいい」と勧められたのが、元首相の橋本龍太郎、森内閣でわざわざ行革担当相を務めている。確かにその通りだと遅ればせながら気づき、2001年9月11日に事務所を訪ねた。

高慢で気難しいことで知られる橋本は、相手がそれなりの専門知識をもっているとわかると、自分の意見を率直に語り、行革断行評議会の案、つまり僕が絵図を描いたプランをうまく活用する手順まで指南してくれた。

案外いいやつじゃないか、と胸をなで下ろして暗くなるころに帰宅すると、ニューヨークの貿易センタービルにテロリストがハイジャックした旅客機が激突しているニュース映像が流れていた。

つぎに会ったのが強面《こわもて》の亀井静香だ。

9月14日の昼、東京・赤坂にある日枝神社境内の侘びた茶屋で、ウナギのかば焼きをほおばりながら、話をした。

遅れて店に着いた亀井は、先に入って末席に坐っていた僕を、いきなり腕づくで床の間側の上座に坐らせようとするのである。

亀井は両手を突き出し頭突きのような押し相撲の格好で前のめりになっているから、その気になったらはたき込みの技を決められる。そんな揉み合いは、僕が折れて上座に坐るまで続いた。亀井静香のような政治家にとって、相手を上座に坐らせたら、まずは勝ちということらしい。

不思議なもので、あとはお互いの主張を語るのみ。それでも和気あいあいと話は進んだ。互いに歩み寄りはないと知っているからだ。それでも僕にとって、亀井に仁義を切ったという意味はあった。

さらに政界の実力者としてもうひとり、古賀誠前幹事長への説明が欠かせない、と気づいた。なぜなら幹事長を退いたばかりの古賀は自民党の道路調査会長であり、最終的にこの問題を仕切ることになるキーパーソンだからである。

10月2日、古賀に指示された自民党本部の9階の大会議室へ行った。古賀は挨拶しながら少し愛想笑いをしたが、却ってそのほうが怖い顔になる、北野武監督の映画に出て来るそういうタイプの人を想像してもらおう。

がらんとした会議室でカレーライスを食べながら、日本をカバーする計画になっている全長9342キロメートルの高速道路網、そのうちまだ建設されていない2300キロメートルは、道路公団を分割民営化しなければつくれなくなると説明した。

道路公団民営化までの道のり。『道路の権力』

古賀がどう受け止めたかほんとうのところはその野武士然とした表情だけでは判断できないが、無駄な投資はしないほうがよい、とはわかってもらえたと思う。

こうした実力者たちに事前に会い、向こうの腹の内はどうなっているのか、こちらの真意は何かを、明示的ではないにせよ、当事者としてやりとりしておいたからこそ、民営化推進委員会が無事に船出できたのである。

民営化委員会における攻防

第二東名は必要な道路である。だがコスト無視の設計になっていた。

この第二東名を計画した1990年当時の建設省道路局長は、日本道路公団総裁として民営化推進委員会に召喚された藤井治芳であった。藤井総裁は事務次官に登り詰め、道路公団へ天下った。「道路のドン」と呼ばれ、超ワンマンとして道路公団に君臨していた。

第二東名を時速140キロの弾丸道路とする、と当時の藤井道路局長が局長通達を出して決まった。邪魔者は退けとばかりにひたすら真っ直ぐ、真っ直ぐにとつくられている。コストは度外視され、トンネルや高架・橋梁が増えた。

藤井道路局長は一片の局長通達で政令「道路構造令」を無視した。警察庁との調整もなく、140キロ走行を認めてくれる見通しも定かでない状態で、一介の役人が権限もないのに国民に高額なツケを支払わせるプロジェクトに強引にゴーサインを出した。そういう人物に、効率化を求めた民営化など理解できるわけがない。僕は、第二東名の高コストの原因をつくった藤井総裁を追及した。

威嚇するようにこんな屁理屈が返ってきた。

「こういった基準、規格等々は、わたしども全部組織で仕事をしておりますから、道路局の方にお答えいただくのがよろしいと思います。たまたまそのときの道路局長がAだとかBだとか、それがたまたま道路公団に来て、同じ人（藤井）がいたというだけのことですから、あくまでも組織としてこういう基準類というものは改正をし、やっていくわけですから、国の方にご指摘いただけるのがいいと思います」

国交省から佐藤信秋道路局長が出席している。暗に、道路局長に関わる問題は現職の佐藤道路局長が答えればよい、と示唆しているのだ。自分はかつての道路局長であり、いまは道路局長でないと巧みにスリカエようとしている。

「藤井さん、これはAだとかBじゃなくて、藤井さんのような力のある人だから道路構造令を通達で置き換えることができたんだと思うんです」

「それは先入観から来る誤解だと思います」

「僕は先入観を持っていますけれどもね、はっきり言って」

「ですから、誤解だと思います」

「先入観を持つことと誤解は別ですから。ふつうの道路局長ではなく、藤井さんのような実力のある道路局長だからこそできたと僕は思います。政令は通達より上ですから、通達によって政令を無視することはできない。極めて珍しい例です。藤井さんのお答えをはっきり訊きたいんですけれども」

「これはあくまでも国として決めたわけですから」

「国ではなくて、道路局長が通達を出したんじゃないですか」

「それは国でございます」

「国といっても道路局長が通達を出さなければはじまらないでしょう」

「道路局長は国の機関の委任を受けている立場でございます」

「では、AでもBでもCでもいいというわけですか、冗談じゃないですよ。藤井さんが決めたことでしょう」

「違います」

「じゃ、誰が決めたんですか、国という答えではわかりません」

「たまたまそのときの道路局長は固有名詞が、わたしも初めて確認しましたけれども、藤井という人だったというだけにすぎません」

自分のことを藤井という人だった、と述べる神経はなかなかのもので、この珍答に傍聴の記者たちは軀を揺すって笑いこけている。

「じゃ、誰が決めたんですか。事務次官が決めたんですか。違うでしょう。道路局長ですよ。道路局長というのは、AとかBとかCじゃないんです。国というのは政令なんですよ。通達は道路局長です。警察庁が140キロをOKしましたということがあれば政令になりますよ。だけれども、警察庁が140キロをOKしたとは言っていないわけで、にもかかわらず道路局長通達でそれをやったらこれは違法ですね。AとかBとかCじゃなくて、個人ですよ。そこははっきりさせないと、藤井さん、そうでしょう」

藤井総裁はひときわ大きい声で答えた。

「個人的な判断でわたしどもは仕事をしているんじゃない。組織で仕事をしているんです。ですからいまの高規格幹線道路網でも、昭和62年でしたかね、決めたのは。そういうふうに、それぞれ各年代を経ながらお互いに駅伝の選手のように分担し合いながらやっているだけのことで、我われの職業は一個人が何かするという性格のものではあり得ません」

「駅伝ではない。藤井道路局長が通達を出したのは厳然たる事実です」

「そのときの道路局長が藤井某という人だったということにしかすぎません」

大宅委員が「お役所の人というのは全員ロボットなんですか」と首を傾げた。僕は質問を続けた。

「これは具体的に誰かの命令でやったんですか」

「そういうもんじゃございません。技術的に、たとえば土木研究所の高度な技術の知識も必要でしょうし、わたしどものなかでいえば、若い優秀な技術者がたくさんいるわけです。また、法的には路政課とか法律の専門家もいます」

「最終的な判断は道路局長ですね」

「そういう意味では案ができあがって、それの最終決裁者が道路局長と、こういうことでございます」

「では、道路局長の責任ですね」

「最終決裁者が道路局長ということで、AさんBさんではないんです。組織で仕事をしているんです。そこだけはちゃんとおわかりいただかないと、これからも同じように組織であらゆる国の行政や政策は行われます。個人で行うものじゃないんです」

「では道路公団総裁も藤井さんでなくてもいいわけですね。誰でもいいわけですね。組織でやるんだから。いかがですか」

藤井総裁は都合が悪くなると眼をつむる癖がある。しばし沈黙が続いた。——あなたにとって視界から世界が消えても、あなたは存在し、その姿を晒しているんですよ、と僕はつぶやいた。

公開の場で討議することがいかに重要か、このやりとりが示している。観客のいない密室ならば罷り通ったかもしれない詭弁はここでは通じず、藤井総裁はたちまち悪役としての評判が立った。

こうした藤井総裁とのやりとりばかりでなく、数字の誤魔化しなども公開の討議で指摘できた。

最終答申を作家が書く

答申は正確には「意見書」と呼ばれる。道路四公団の民営化は、ただ特殊法人を民間企業にするために企画されたのではない。ふつうは事務局の官僚に任せるのがこれまでの審議会の常識であったが、自分で書くことにした。なぜいま民営化なのか、短い文章のなかにその意味づけをわかりやすく、なおかつ官僚の文章とは異なり格調高く謳わなければいけない。日本国憲法の前文のようなつもりで書いた。歴史のなかで民営化が行われるのだ、ということを明確にしたかった。

＊

日本国民は、戦後、廃墟の中から立ち上がった。戦争によってもたらされた惨禍を乗り越え、乏しい資金を元手に努力と勤勉を積み重ねて世界第二位の経済大国としての地位を得るに至った。努力が報われる、勤勉は富をもたらす、そう信じて働いた結果である。また日本国民は優れた製品を輸出することで、国際社会における評価をおおいに高め誇りをもつことができた。

戦後の復興と経済成長は日本国民一人ひとりの力の集積であったが、官僚機構もまたよくそれを陰で支えたといえる。

しかしバブル経済崩壊後、日本国は「失われた十年」と呼ばれる空回りの停滞期に突入するようになる。原因をさぐれば、官僚機構の変質と肥大化と向き合わざるを得ない。官僚機構は縄張り争いをしつつ、天下りをはじめとする利権を拡張し民間の自由な経済活動を阻害するさまざまな規制を張り巡らせた。特殊法人、認可法人、その傘下に群がる社団・財団法人、さらにはファミリー企業をつぎつぎと自己増殖させ、国民の利益をむしりとりはじめていたのだった。

そういうなか国民の危機の認識を背景に小泉内閣が誕生し、歴史的使命として構造改革が宣言された。その大きな柱のひとつが、「民間にできることは民間に」という、小さな政府を実現しながら市場の活力を回復させるための特殊法人等の改革である。約40兆円もの巨額な負債を抱え込んだ道路関係四公団、すなわち日本道路公団、首都高速道路公団、阪神高速道路公団、本州四国連絡橋公団の民営化は特殊法人等改革の天王山として位置づけられた。

道路関係四公団民営化推進委員会は、国民に対して開かれた委員会にすべきと考え、審議のプロセスを原則公開した。約40兆円もの債務の中心となっている郵便貯金等は国民から借りたものであり、高い通行料金を支払って高速道路を利用するのは国民なのだから当然である。東京湾アクアライン、本州と四国を結ぶ三本の橋、その通行料金は常軌を逸しているが、それだけではなく多くの不採算路線の建設はいずれも密室で作成された非科学的で無責任な需要予測と高コストの建設費がもたらした。

われわれはこうした過ちの原因を審議の過程でできるかぎり示してきた。そして二度と同じ失敗を犯さないために、国民負担が少なくなるような債務の返済方式と必要性の乏しい道路はつくらない仕組みを考察した。

今後の道路関係四公団は、競争原理を導入するために五つの分割民営化会社（以下、

「新会社」という）として再生し、より地域に根ざした、地方に住む人びとの意思が反映され る存在に近づく。産業道路として、観光資源として、医療や福祉のために、国民経済的な観点からも高額な通行料金を是正しその引き下げも提案した。

国民が望む国民のための高速道路とは、安い通行料金、顧客に対するサービスの向上、低いコストと採算性に見合った建設である。道路関係四公団の改革は国民に元気をもたらす改革でなければならない。虚偽と不正は常に厳しく糾弾され、まじめに働く者の努力が報いられ、未来に希望を抱くことのできる日本国にするための改革である。

道路関係四公団民営化推進委員会は、存在そのもの、その審議のあり方、その他あらゆる面で民意を代弁する政策意思決定の新しいひとつのかたちを示すべく努めた。

われわれは内閣総理大臣に以下の「意見」を具申する。

*

民営化推進委員会がいろいろと方針を決めていったら、結局、7人の委員のうち5人はある意味、裏切って、途中で委員を降りてしまった。意気地のない連中である。評論家の大宅映子さんだけは残ってくれた。道路公団民営化を骨抜きにしたい勢力からすれば僕の力を削ぎたかったのだろう。

けれど、小泉首相からの信頼は変わらず厚かったし、反対派がいなくなったのをこれ幸い、僕と大宅さんの2人で粛々とやるべきことを進めていった。

「〈丸投げ〉政治脱却へ」をテーマに牧原出（東北大学助教授、現東大教授）が、審議会という存在が、最近ちょっと違ってきたと解説した（読売新聞２００５年2月4日付夕刊）。

「今後、諮問機関の存在理由は、満場一致で承認された答申を出し、法案の直接の原案を用意することではない。審議過程の公開を通じて、問題のありかを広く明らかにし、選択肢を少数に絞り込むことである。よって、答申提出後さらにその趣旨を確実に法案に盛り込むには、各省の官僚との強力な調整役が諮問機関内に必要となる。猪瀬直樹委員のような『フィクサー』と、首相に近い内閣官房の官僚との連携が不可欠となるであろう」

その後もいろいろあったのだけれど、4年をかけて、苦難の末、２００５年10月から、日本道路公団の分割民営化がスタートした。

現在は、民営化時に40兆円近くあった借金が29兆円くらいに減っているし、利用料金も平均で2割下がった。

夜間料金などはさらに顕著に引き下げられたし、風景としては、ファミリー企業を排除して競争を導入したサービスエリアやパーキングエリアが激変して、コンビニやスターバックスなども入り大盛況となっている。


なぜ誰もができないと思っていた道路公団の分割民営化が実現できたのか。

ひとつの大きな理由は、民営化推進委員会の議事を原則公開し、意思決定過程を外部から見える化したからだと思っている。

密室で、互いの力関係に頼って決めるのではなく、外部から見えるようにして議論すれば、ものをいうのはファクトとロジックだ。明るいところでやれば勝つ、とわかった。
5年にも及ぶ戦いのおかげで僕は疲れ果てていた。ようやく作家に戻れると思った。

二宮金次郎に学ぶ「ゼロ成長」時代の行政改革

二宮金次郎とは何者なのか

道路公団の民営化に当事者として取り組んでいた僕に対しては、永田町や霞が関、虎ノ門の関係者だけでなく、それこそメディアからも批判の嵐だった。そんな批判に耐えていた僕はふと、子どものころに見た二宮金次郎の銅像を思い出していた。

一度、旅行の帰路に神奈川県の小田原城近くにある二宮金次郎の博物館へ立ち寄った記憶が甦えり、5月の連休の昼過ぎ、あまりにも空が青いので、突然、思い立ち小田原までクルマを飛ばした。

東名厚木インターから小田原厚木道路へと入り、酒匂川の畔へ着いた。金次郎の藁葺き屋根の生家がある。風景を眺めながら19世紀初頭の暮らしを想像した。

二宮金次郎といえば、薪を背負いながら本を読むその姿と合わせて、「質素・倹約の人」「勤勉の人」「努力の人」「親孝行の人」のイメージが強い。

第二次世界大戦前に銅像が全国に普及し、やはり勤勉や努力をうたった教育勅語の中身と結びつけ、軍国主義イデオロギーの象徴と思っている人も少なくない。

ところが、調べていくと、文化文政期に活躍した二宮金次郎の真の姿は、一般に抱かれているイメージとまったく異なるものだった。金次郎の真骨頂は、独自のシステムで、行政改革に挑み、産業再生機構にあたる仕組みをつくり上げたところにあった。

両親が早く亡くなり、親戚の家に預けられ、奉公に出た金次郎は、やがて薪を集めて小田原の町に出て売れば、奉公の賃金の何倍もの収入になると気づく。換金商品としての薪の発見である。

当時は入会地で柴や薪を集めるのは厳しく制限されていたから、金次郎は里から離れた山地へ入り間伐材を切って束ね、何里も離れた小田原まで担ぎ、城下町・宿場町で売り歩いた。生産、流通、販売をひとりでこなしたから利益率は高くなる。

現代の家計に占める光熱費は平均6パーセント程度だが、江戸時代の都市部では燃料費は15パーセントほどかかっている。江戸時代はその辺に薪が落ちていると思うのは勘違いで、当時のほうが手に入りにくかった。

だからこそ石炭がない時代におけるエネルギー源の薪の商品価値は高く、そうして稼いだ資金を元手に、金次郎は20歳のときに生家の再興を果たした。

手腕を見込まれた金次郎は小田原藩の家老を務めていた服部家から、財政再建を依頼される。

江戸時代は、江戸開府から１００年、１７００年の元禄時代までは高度成長期で、人口も1700万人から2倍近い3000万人にまで増えた。しかしその後は幕末までゼロ成長時代が続いた。

金次郎は文化文政期の人である。金次郎が活躍する江戸時代後期は、非常に発達した市場社会であり、当時の金利は10パーセントから20パーセントとかなり高い。そこで金次郎は、「金次郎ファンド」と呼ぶべき独自の仕組みをつくり上げる。

金次郎は、低利融資による借り換えの仕組みを考え出した。

百姓とは、農業だけでなく油屋、醤油屋、鍛冶屋、織物屋、あるいは特産品の生産・販売など、いわば東京・大田区の町工場のような多様な物品を生産している零細事業者である。彼らはいつも金詰まりで汲々としていた。

金次郎が考えた融資方法は、明らかに高利貸しとは違った。たとえば10両を貸す場合、原則5年賦無利息返済で年2両ずつ返してもらえば、5年で返済は終わる。ただし、完済できた相手には、6年目に「冥加金《みょうが》」という名目でもう2両出させるのだ。

この2両は実質的な金利であると同時に、「金次郎ファンド」への出資金だった。ファンドに集まった資金を、内部では低利で融資し、外部には相場で運用して、さらに増やしていった。

ファンドに続くもうひとつの金次郎の発明が「分度」である。

服部家の支出に、実収入に見合った上限を設定し、そのなかで家計をやりくりさせるものので、倹約のように見えてじつは真逆の概念になる。倹約がともかく支出を抑えることに主眼を置くのに対し、分度は支出を明確にすることで、余剰資金を投資と運用にあてるのだ。

日本に宿る金次郎のDNA

これらの手法で金次郎は、千数百両もあった服部家の借金を5年で完済し、300両もの余剰金まで残す。これにより、金次郎の名声は小田原藩内では知れ渡るようになり、小田原藩士に取り立てられ、小田原藩主・大久保家の分家で旗本・宇津家の知行地だった下野国（栃木県）桜町領5000石の立て直しを命じられる。

桜町領は、元禄時代には人口1900人だったが、文化文政期には3分の1近くまで減り、住民は昼間から酒をあおり、賭博に耽って、家屋は雨漏りして耕作放棄地も目立つほど荒廃していた。ネガティブな空気を取り払うために村のそこかしこを覆っていた雑草をきれいに刈り取ることから手をつけた。当初、村人の抵抗は尋常ではなかった。

最初の1年間を調査にあてた。一軒一軒を回って暮らし向きを調べた。それぞれ借金がどれだけあるか、耕地のうち田と畑の比率はどのくらいか、人口が減った結果、放置された草ぼうぼうの荒地の占める比率はどのくらいか。

まず100年前の元禄時代の年貢高の平均値を調べ、直近10年間の年貢高の平均値も調べた。100年前に較べると3分の1でしかないとわかった。人口減少社会のなかで税収の基準を過去に求めれば、どうしても無理が生じるので人びとは村から逃げ出して、いっそう人口減少が激しくなる。そこで領主に対して、今後10年間の年貢高の基準を直近値にすると提言した。その基準値以上の余剰分が出たら投資と運用にあてれば、意欲が生まれる。

新田開発によって収入を増やしたり、村人たちの出資で米商社をつくり、相場の高いときに売るなど、生産だけでなく販売まで視野に入れた。こうして桜町領の米の生産高は加速度的に上向いて、天保の大飢饉さえ乗り切った。

金次郎のやった仕事は、経営コンサルタントだけでなく、苦境に陥った企業に融資して再生させる産業再生機構のような公的な役割だった。ファンドをつくって融資を行い、経営効率を上げるためにあらゆる指導をする。こうして売上高より利益率の向上、つまり生産性を高めることに成功した。人口が減って全体のＧＤＰは伸びなくても、１人当たりのＧＤＰを増やすことはできる。

金次郎の改革は、桜町領の再生だけでは終わらなかった。やがて金次郎ファンドは1万両を超えるまで膨らんでいく。関東の各地のみならず北は福島県の相馬藩まで、金次郎の改革が及んだ。その方法論は、いまの静岡県から愛知県の尾張にまで伝播した。

トヨタ自動車の創業者としてその名を残す豊田佐吉の父、伊吉は、金次郎の教えを生活の信条としており、佐吉もまたそれに帰依した。つまり、世界に冠たる〝トヨタ〟が誇るカイゼンには、金次郎のＤＮＡが宿っているのだ。

僕は道路公団民営化でバッシングを浴びているときに『二宮金次郎はなぜ薪を背負っているのか?』を書いている。メディアは改革潰しの先鋒になり、決して味方ではなかった。それはのちの都政改革でも同じだった。そして金次郎に励まされた。

『道路の権力』『道路の決着』とこの本を併読していただけるとありがたい。金次郎は桜町領でさんざんバッシングを受けたが、改革における数値目標を設定することで、閉塞感を打ち破りモチベーションを高めた。

石原慎太郎さんからの連絡。副都知事就任へ

予期せぬ副知事就任

２００５年に道路公団の民営化が実現したあとは、物書きに戻るつもりでいた。

特殊法人の傘下に無数の公益法人があり、霞が関の官庁の天下り先になっていることはすでに記した。主務官庁の胸先三寸で民間企業より低い税率が適用される公益法人が安易につくられていた。「公益」でなく「官益」であった。だが道路公団民営化の翌年、公益法人は公益認定法人と一般公益法人とに区別され、軽減税率が適用される公益性の認定は、主務官庁から内閣府の公益認定等委員会の7人の民間人が決める法案が２００６年に議決された。

２００7年に安倍晋三首相（第1次安倍政権）から地方分権改革推進委員会で菅義偉総務大臣を支えるよう依頼された。道路公団民営化を実現した大きな理由のひとつと僕が考えている「公開討議」、つまりは意思決定過程を見える化する遺伝子を残しておくべきと考えた。ただ道路公団民営化のような苦労を1人で全部背負い込む気はなかった。

しかし、またも状況が変わる。その年の5月、東京都知事として3期目に突入していた石原慎太郎さんから「会いたい」と連絡を受け、二つ返事でOKした。共通の関心事である三島由紀夫のことなどについて語り合うのかと思ったからである。

招かれた東京・赤坂の料亭に行ったら、20人ぐらい坐れそうな座卓に席が2つだけしかない。「あれ、こんなに広いところに2人ですか。あと数人来るんですよね」と質問したら、石原さんは独特の照れた顔でニヤリとしながらうなずいてから言った。

「いま1000メートル、泳いできたところだよ。（ホテル）ニューオータニのプールは15メートルしかないから、33回往復しないといけないんだよ」

33往復×15メートルで1000メートルになる。計算は合っている。

74歳で1000メートルを泳ぐ。偉いなあ、と素直に感心していた。

そんな隙だらけのところへ、突然、「猪瀬さん、副知事やってくれ」と頭を下げられてしまった。世間では高慢に思われている石原さんが頭を下げてお願いをする。

「小泉さんのお手伝いをしたことは僕の人生の例外でした。僕は作家に専念したい心境です」

いったんは断った。すると、

「作家を辞める必要はない。僕はね、この仕事（知事）を始めてから長編の構想が7本、浮かんだ。いろいろ思いつくものだよ」

身を乗り出すようにして畳みかけられ、答えに窮した。

たしかに発想やそれにともなうモチベーションは、何かで緊張した際にふっと湧くからだ。さすがに作家が作家を口説くには、上手な口説き方である。

石原さんは僕よりもひとつ世代が上で、昔からつねに意識し続けてきた先輩作家だ。そんな先輩作家である石原さんから頭を下げ頼まれたら、いやとは言えない。こころよく引き受けることにした。

考えてみれば地方分権委員会の委員に任命されたばかりである。霞が関の中央集権の官僚機構を地方分権に変えるのは容易ではない。東京都を足場にすればできるかもしれないと閃いた。

副知事就任のからくり

2007年6月15日に石原さんが記者会見で僕を副知事に指名すると正式表明した。その後、都議会で共産党以外の賛成多数で、僕の副知事人事案は承認された。だが自民党都議団が賛成した裏にはからくりがあった。副知事就任に難色を示していた都議会自民党は「猪瀬にラインの仕事をやらせない」と議会で賛成する条件として石原さんに呑ませた妥協人事だった。副知事は4人いるが、僕以外の3人は都庁の職員上がりで、それぞれ責任を負うべき担当部局を持っている。

つまり霞が関の財務省、経産省、厚労省に対応する財務局やら産業労働局やら福祉保健局やら、そういう複数の局を束ねた上に副知事がいるのだが、僕の下には局がひとつもない。いわば無任所大臣みたいなもので担当分野がないのだ。パナソニックの副社長になってみたら、管轄の事業本部がないのと同じである。

僕の担当は「知事が特命する事項の国との調整に関すること」、それに「その他知事の特命事項に関すること」のみだった。部下は秘書1名、これでは何もできない。

そこで考えた。課題を自分で探して、知事の了解を得て特命事項とすれば僕の仕事になる。かえって縦割りでなく各局を横断して、いわゆる横串を刺すことができる。人材を集めてプロジェクトチームをつくることにした。

昼食を食べながら重要案件が話し合われることになっているが、ほとんど誰も発言せず石原知事の独演会になっていた。役人は余計なことを言わない。「必ずしもそのかぎりではありません」などとどっちつかずのことを言っていたほうが短気な石原さんの前では無難と思っている。

しかし、なんてつまらない昼食会なのか。石原さんもつまらなそうな顔で箸を動かしている。1週目は、様子がわからなかったのでそう思った。2週目からは積極的に発言しはじめた。新しい話し相手が加わったことで石原さんも快活になった。

僕は遠慮なく言った。

「どうしてこんな冷たい弁当をみな平気で食べているんですか。箸でつつくとご飯が固くて、おにぎりを突き刺したような大きな塊になるじゃないか」

石原さんがキョトンとして聞いている。

「冷えている鰻重なんて、駅弁でもめったにない」

すぐに調べた。恐れ多い石原閣下のためには粗相あってはならじ、と昼食会は12時15分からなのに、なんと午前11時に鰻重が7階の会議室に運ばれていた。その事実を知った石原さんは苦笑して言った。

「そっか。俺、そんなこと知らなかった。誰も言わないものだから、冷たいのが当たり前だと思っていたよ」

温かい弁当で談論風発。それが昼食会。みな言いたいことを言い合うようになりはじめた。

参議院宿舎計画を白紙にする

赤坂見附駅に近い紀尾井町で参議院議員宿舎の建設がはじまりそうだった。当時、都内の一等地に一部屋80平方メートルも占有し、高さが28階もある宿舎は豪華すぎるとして、できたばかりの衆議院議員宿舎が批判を浴びていた。

赤坂周辺で同じレベルの物件を借りれば家賃の相場は1カ月50万円はするがわずか9万2000円ではお手盛りと言われても仕方がない。だいたい国会議員が国から提供された集合住宅に住むなど北朝鮮と日本くらいのものだ。だがテレビのワイドショーが連日、押しかけてみても議員宿舎はもうできあがっている。4月から入居がはじまり、どうすることもできない。

ところが参議院の新議員宿舎は、これからつくろうとしているのだ。僕はメディアの姿勢に不信感を抱いている。豪華な施設がつくられると、テレビに映して批判するが一過性で忘れ去られていく。ならばつくる前に問題点を指摘し、つくらせないようにすればよいではないか。

清水谷公園に隣接する森をつぶし樹木を伐採し、高さは56メートル、1部屋の広さは約80平方メートルという衆議院の議員宿舎と同じレベルの豪華宿舎を建設する必要はまったくない。都民の目線でものを考えれば、きわめてわかりやすい話である。

たまたま石原知事とTOKYOMXで対談番組を収録した。副知事になってから1カ月後、2007年8月1日だった。

「参議院宿舎、あれやめちゃいましょうよ」

「なんで？」

「衆議院宿舎が豪華だと言って、メディアが騒いでいたでしょ。参議院宿舎はこれからつくられます。完成したらまた騒ぎになります。逆に中止させれば、石原慎太郎ここにありってことになります」

東京は2016年五輪に立候補する。緑のオリンピックを標榜したところだった。お台場の100ヘクタールのゴミの埋立地を、建築家の安藤忠雄さんが植林でうめつくす「海の森」構想を打ち出していた。

紀尾井町の清水谷公園の一帯は、東京都の風致地区条例に指定されているエリアだ。清水谷議員宿舎の高さは20メートル、すぐ近くの赤坂プリンスレジデンスは21メートル、国家公務員宿舎の紀尾井町住宅も21メートルだ。高さが制限されている。

ただし、風致地区では例外を認めており、特別用途であれば制限を超える建築を認めている。特別用途とは、公共性・公益性がある建築物のことを指す。「公共性」とは「地域防災上や地域住民の福祉の向上及び公共の通信事業等のために必要不可欠な場合」である。だからすぐ近くの紀尾井町住宅は、防災対策のため国家公務員が霞が関に駆けつけられるためのもので、117戸のうち103戸が広さ30〜40平方メートル、単身者向けのワンルームだ。厳しく用途を限定したうえで公益性を認めている。参議院の豪華な議員宿舎に公益性はあてはまらない。

石原知事に現地を見てもらうことにした。9月5日午後、夕立が束の間、激しく木立を叩いた。雨足が去ると9月とはいえ残暑である。蝉が鳴いている。

テレビカメラが待ちかまえている。森の前に立つと石原さんはすぐ脳幹で反応した。

「こんな緑地があるのを知らなかった。わたしはここをつぶすのは反対!」

いつも一言多いのだが「どうしても宿舎がほしいなら（議員は）どっかプレハブ（仮設住宅）でも住めばいい。地震の被災者だってプレハブで我慢している」と言った。

民間企業ならば、風致地区条例をクリアして東京都から許可を受けないと、建築確認申請を提出できない。しかし、ここがおかしいところなのだが、国の場合、風致地区条例に関する都の許可は必要でなく「協議」をすればいいだけなのだ。

中央の地方軽視

協議とは双方の対等な話し合いだと思うのがふつうだが、お役所用語の「協議」は形式だけ、協議をやりました、で終わりである。協議をしたところで結論がひっくり返るわけではない。「協議をする」ということは、すなわち、「結論を認める」ことなのだ。

したがって申請書類を受理した段階で、協議がはじまったことになる。いったん受理してしまえば東京都側は拒否できないのである。風致地区条例に則して、若干の手直しをしてもらい、再申請してくるまで時間を稼ぐという方法しかない。

国と地方の協議は、国の地方への命令と変わりない。地方分権を実現することはなまやさしいものではないのである。

官僚との戦いは、徹底した事実の確認でやるのが僕の流儀だ。道路公団民営化委員会でも立場が劣勢であっても、一つひとつの事実、一次資料にもとづいて論駁する方法で敵陣を崩した。

都庁にどんな資料が残されているか、東京都建設局の担当者を呼んだ。

「メモか何か、当時の記録はないか」

国交省との関係を考えたのだろう。「メモがある」と言わなかった。「あるはずだ」と根気づよく説得を繰り返すと、恐る恐る出してきた。05年8月のメモである。参議院事務局の建築事業の委託先である国土交通省官庁営繕部が都庁側と打ち合わせをしたときに、説明を受けた都の職員のメモ書きが見つかった。鉛筆書きの乱れた字で「高さが30メートルか40メートル?」とあった。「10階建て?」とも記してある。風致地区条例では高さ制限は15メートルだが、公益性を認定しても周囲の建物は20メートルぐらいにしている。

07年5月16日に参議院側が持参した正式な建築確認申請では、16階建て、高さが56メートルになっていた。都庁職員には低めの数字で説明して、事務的な前段の作業を終わらせておいて、正式な書類でほんとうの数字を示したのである。騙し討ちである。

参議院事務局は5月16日に建築確認申請を出していたが、近隣の住民による反対の声が大きくなりはじめたので、6月22日に「もう少し緑地率を増やすなど、計画を手直しする」と伝えてきた。ここでいったん「協議の中断」が生じていた。

年末、翌年度の予算原案がつくられる。参議院事務局は議員宿舎のため06年度から4年間で44億円の予算を計上している。08年の執行分を確定しなければいけない。

参議院事務局は焦っていた。

12月19日水曜日、参議院の西岡武夫議院運営委員長と自民党の山崎正昭参議院幹事長が都庁を訪ね、石原知事に面会したい、と要望してきた。

ここは勝負時である。書類を受理したら「協議の再開」なのだ。そうかといって、ただ突き返すわけにはいかない。

全共闘の経験が生きる

7階の石原知事の応接室に向かい合って坐った。こちら側が石原知事と僕、右隣に兵藤特別秘書。あちら側に西岡議運委員長、山崎自民党参院幹事長、端が参議院事務局の議院運営課長である。

西岡さんは大きな封筒を胸に抱え石原知事に手渡す機会を狙っていた。西岡さんはこれまでのプロセスを説明した。僕は樹齢100年、200年の木を伐採してまで参議院宿舎を建てる必要はない、日比谷公園の木より歴史があり幹も太いんですよ、東京は緑の10年プロジェクトがあり、並木を2倍にすると宣言しているところだ、と意見を述べた。

ここまでは手順通りである。それから僕は、いちばん端にいる参議院の課長に対して言った。西岡さんも山崎さんも、課長より地位が高いが、実際に権力を握ってこの計画を押し進めようとしているのは参議院の事務局である。公僕であるはずの役人が仕切っているのだ。

「あなたは都庁の職員を騙しましたね」

「そんなことはありません」

「そんなことは、あるんですよ」

高さが56メートルもあるのに、30メートルから40メートルぐらいと東京都建設局の職員に説明した事実がある。

「そんな事実はありません」

「あるんだよ」

鉛筆書きのメモを示した。

「そんなメモはあとになってからつくることができます」

これで勝負ありだ。喧嘩なら場数を踏んでいるから勘がはたらく。それに弱き（地方公務員）を助け強き（国家公務員）を挫くだ。

「もう一回、言ってみろ」

「ですから……」

「このメモが捏造だというのかね。許せないな。こういう傲慢な人間は、僕は許さないんだ」

西岡さんに視線を移し「これからこの方だけ、残っていただきます」と言った。

「猪瀬さん、まあそれは……」

西岡さんは僕をなだめようとする。僕は課長に向かって、語気を強めた。

「残ってもらう。捏造か捏造でないのか、きちんと確認するから」

30分の予定が40分を過ぎている。

山崎幹事長は黙ったまま成り行きを見ている。西岡さんは中腰になりながらさらに僕をなだめようとした。

「猪瀬さん、ここはどうか。わたしが連れて来たのですから、どうか、許してやってください」

こうして話し合いが終わった。中央の役人は地方公務員を見下すところがあり、それをよいことにこの課長のように「捏造」などと、つい失言してしまう。ふだんから傲慢な態度で地方自治体の役人に接しているからだ。

西岡さんは、とうとう胸に抱えていた大きめの封筒を開くことができなかった。残していくこともできなかった。

全員が去ったあと、石原さんは笑いながら言った。

「猪瀬さん、僕より短気だねえ」

「そうじゃないですよ。作戦勝ちと言ってください」

いっしょにゲラゲラと笑い合った。書類を受理していないので「協議の再開」という事実は存在しない。

もとは法律に不備があるからなので、それなら実力行使をすればよい。全共闘の経験がこんなところで生きた。

一年後、参議院宿舎計画は完全に白紙撤回となった。

だがこの清水谷公園一帯は「都議会のドン」内田茂都議の選挙区・千代田区であり、ドンの神経を逆なでしていることに僕は気づかなかった。

東京から国を変える。夕張市に都職員を派遣

東京都の役割は、動きの遅い霞が関に代わって先行モデルをつくり、国策に刺激を与えるところにある。すでに石原知事は、中央政府が尻込みしていたディーゼル車規制を条例で実施して、メーカーはより厳しい基準に適合するクルマを生産しなければならなくなっていた。

東京都の職員はただの地方公務員ではなく「首都公務員」であるのだから、100点満点の目標ではなく120点満点の目標が求められてしかるべきなのである。都民のためはもちろん、国民のために働かなくてはいけない。

ボーッとしてんじゃねえよ、と感じたのは初めて登庁したときだった。『東京の副知事になってみたら』というタイトルで都庁というジャングルの探検記を書いてみた。

新宿の巨大で立派な高層ビルは、いわば企業であれば本社ビルである。僕はこの本社ビルに何人の従業員がいるのか、と素朴な質問をした。

「2万人」

「いや1万5000人」

「4万人です」

さすがに4万人と答えた職員は、隣の職員から、それは都庁全員の数だよ、と訂正され

ていた。また質問をし直す。

「1万8000人」

「1万3000人」答えはまちまちだった。

その場で正確なデータを総務局人事部調査課に確認した。

「8711人です。非常勤職員352人を加えて9063人です」

どの答えよりも少なかった。

東京都職員と呼ばれる人は、じつにその数、16万5000人、うち学校の先生が6万2000人、警視庁に勤めるお巡りさんたちが4万5000人、東京消防庁に1万8000人、合わせて12万5000人である。

残りが行政を直接担っている都庁職員で約4万人。うち新宿の高層ビルに9000人。あと3万人は都税事務所や福祉施設や都立病院など都内各地で勤務している。

首都公務員として、中央政府や他の自治体のことを知るためには自分の立ち位置がわからないといけない。複眼的視点が必須のはずなのだ。

僕が副知事に就任した年、北海道の夕張市が財政破綻した。そこで夕張市への職員派遣を提案した。財政破綻した自治体の状況を身をもって体験してくれば、都庁だけにいたのでは得られない視点を否が応でも身につけ、覚醒して帰ってくるだろうと考えた。

20代の職員を公募して2人派遣することにした。冬の夕張は四輪駆動のクルマが必需品で、まず札幌の中古車売場に2人を連れて行った。クルマ代は都庁職員のカンパでまかなった。

夕張は300人いた職員が100人に激減している。人口12万人いた時代に300人で、1万人になっても300人、おかしな話である。だが退職金をもらっていきなり200人が去ってしまえば、今度は100人では仕事が回らない。

東京から2人派遣したことがニュースになると他の自治体も派遣を始めて、全体で20人ぐらいの助っ人部隊ができた。それらの職員は貴重な経験を本来の所属自治体に還元していると思う。

2011年の東日本大震災では被災自治体へ、数多くの東京都職員を派遣した。みなよく頑張った。各自治体も応援に駆けつけているが、この夕張派遣がひとつのきっかけになっている。

平成も終わりに近づいた2019年4月7日の北海道知事選挙で当選した38歳の鈴木直道君は、2008年1月から2年2カ月、夕張市に出向した東京都の職員である。その後、2010年4月から内閣府地域主権戦略室へも出向させた。貴重な経験を積んだわけだが、都庁に戻ることなく、「夕張に骨をうずめます」と30歳で夕張市長に立候補し、2期8年市長を務めたうえでの知事選立候補だった。

知事となった鈴木君は、新型コロナウイルスへの対応ではスピード感をもって学校を閉鎖して北海道内のオーバーシュート（感染爆発）を回避した。その際、つねにフリップなどツールを用意してテレビ画面やSNSを駆使して道民に対して情報を発信した。

東京から夕張へ出向して使命感が芽生え、日本国のなかの東京、日本国のなかの北海道という考え方を得たこと、ファクトとロジックにもとづき説明し、120点満点でものを考えるようになったことが大きいのだと思う。

東日本大震災発生。奇跡のリレー「偶然の必然」

東日本大震災発生

2011年3月11日14時46分、マグニチュード9・0を記録した東日本大震災が発生した。その日は、14時20分に都議会が終わっている。最後の議決が、たまたま耐震化条例だった。

たとえば、東京23区内をぐるりと巡る環状七号線（通称「環七」）の横に、築40年と築35年のマンションがたくさん建っている。1981年以前の建物は耐震化基準が緩いので、耐震補強をしないと、地震のときに倒壊のおそれがある。

阪神・淡路大震災で倒れたビルがあったが、幹線道路を塞いでしまうと、救急車や消防車などの緊急車両の通行を妨げ、被害を拡大しかねない。

そこで主要道路の沿線にある建物を対象に、耐震診断を義務化する条例を可決した。

耐震工事をした場合の自己負担を6分の1で済むようにした。従来の自己負担は3分の1だったが、東京都の補助金分をかさ上げして自己負担を軽減した。しかも耐震診断は無料とした。

その後の非常事態を予見したかのようにわずか二十数分後に東日本大震災に見舞われたのである。都庁舎は強風のときにもミシミシと揺れることがあるが、この日はそのミシミシが尋常ではなく、揺れが収まらない。

都議会が終わって一段落、石原さんと都知事室で談笑していたところだった。

「あれ、これは地震だな。ちょっとテーブルの下に入ろうか」

2人で腰をかがめた。30秒ぐらいしてテーブルの下から抜け出したら、まだ揺れている。それどころか揺れが大きくなった。7階の知事室から9階の防災センターへ向かった。エレベーターが停まっているので急勾配の非常階段を駆け上った。

防災センターはNASAの指令センターのように各種モニターが並んでいて災害情報がリアルタイムで集まってくる。

千葉県市原市五井海岸のコンビナートが真っ赤に炎上している様子がヘリコプターからの映像で映し出されている。僕は東京消防庁の防災部長を呼んだ。

「ただちに消防艇を出そう」

「千葉県から総務省に要請が出され、総務省から東京都に連絡が来る仕組みになっています」

「いいよ。そのプロセスを飛ばそう。海には県境がないから」

コンビナートがつぎつぎと爆発して東京側へ燃え移る可能性もある。

暗くなり始めた。電車が停まっている。帰宅困難者があふれている。

都庁の1階を開放した。ビッグサイトやら芸術劇場やら何やら、東京都管轄の建物をつぎつぎと開放したが、問い合わせの電話やホームページへのアクセスが集中したために都庁HPはダウンしてしまった。

問い合わせ不能状態に陥った。これではどうしようもない。都庁にはSNSで情報を発信できる民間人は僕しかいない。

奇跡の情報リレー

ツイッターを始めたのは1年前だったので慣れている。副知事室からツイッターでメッセージを送り、新宿高校を開放、都立美術館を開放、などとつぎつぎと発信した。

JRが運転を中止しているため、都営地下鉄が何時に動かせるか、交通局へ問い合わせて暫時、9時に動きそう、9時30分ぐらいになりそう、とツイッターで発信した。地下鉄に乗れるなら帰宅の判断もできる。

巨大な都庁は、いまや僕のツイッター1本が唯一の発信源なのだった。各部局から僕のところへ情報が集められ、副知事室が臨時の情報発信センターに変貌した。僕のアカウントにはリプライが殺到している。

夜9時過ぎ、テレビ画面に自衛隊の航空機からの映像が映し出された。気仙沼湾が炎につつまれている。

紙に刷りだしたツイッターの膨大なメッセージが手元に積まれた。その1枚に眼が釘付けになった。

「障害児童施設の園長である私の母が、その子供たち10数人と一緒に、避難先の宮城県気仙沼市中央公民館の3階にまだ取り残されています。下階や外は津波で浸水し、地上から近寄れない模様。もし空からの救助が可能であれば、子供達だけでも助けてあげられませんでしょうか。」

防災部長を呼んだ。ツイッターにはデマがあふれている。

「この文章は5W1Hがしっかりしている。それに文章に品性がある。僕は作家としての判断でホンモノだと思うが、防災の専門家であるあなたはどう思うか」

「私もホンモノと思います」

「では、空からの救助、ヘリを出せるか」

「宮城県からの要請が必要です」

「気仙沼の消防署はおそらく被災して崩壊している。要請は来ないだろう。僕が責任を取る」

防災部長はすでに心得ていた。

「わかりました。ヘリは有視界飛行ですので夜は無理ですが、明け方なら飛ばせます」

この日の夕方、東京消防庁の第一陣が気仙沼めがけて発進している。途中、壊れた道路を避けながら徹夜で北進を続けた。

ヘリは明け方、気仙沼の中央公民館の上空にいた。燃えた瓦礫がくすぶりあちらこちらで煙が立ち昇っている。一帯は水没していた。

消防士がスルスルとヘリから降りて驚いた。十数人でなく、ゼロ歳児から90代まで446人が、水も食糧もなしで、すし詰めになって震えていたのだ。赤ちゃんは脱水症状を起こしていて一刻の猶予もないところだった。

60歳の内海直子園長は、「火の海ダメかもがんばる」とガラ携でショートメールを打った。それがロンドンの30歳の息子に届いた。SNSには距離というものがない。

ロンドンの息子は文案を推敲して140字にまとめツイッターを打った。そのツイッターを見知らぬ零細企業の48歳の社長が気づき「行政のどこかへ届けば……」と@inosenaokiへ送った。たまたま僕が見つけた。針の穴を通すような奇跡の情報リレーだった。

偶然の背景にあった「公」

僕は2012年夏、ロンドン五輪を視察した。せっかく出張費が出たのだから、ロンドンの息子さんに会った。ジュエリーデザイナーをしていた。

東京でいえば秋葉原の電気街のような、小さな店がひしめき合っている宝石街にその息子は工房を持っていた。カルティエとかティファニーではない地場産業の街だった。そこで謎が解けた。

彼は毎日、ユダヤ人とビジネスをしている。なあなあのしゃべり方では通じない。ファクトとロジックがないと信用されない。だからツイッターの文章がしっかりしていたのである。

その秋、震災で流された障害児施設と保育園がユニセフの協力で丘の上に再建された。その再建式に僕は恩人として招かれた。待てよ、と思った。それなら僕宛てにツイッターを送ってきた零細企業の社長も恩人だ、連れて行こう。連絡を取った。新幹線の東京駅で待ち合わせた。新幹線の車中、僕は彼を質問責めにした。

中卒のヤンキーで風俗店に勤めていた。バブルのころだ。「おまえ、仙台に店を出してこい」と言われ、仙台の風俗店でさんざん遊んだ。気仙沼で新鮮なサンマの刺身を食べた。バブルが崩壊し、奥さんと子どもがともに去った。借金を返すのに10年かかった。いまは事務機のオカムラの下請けをやっている。会社の引っ越しなどで、オカムラから梱包された机や椅子が届いたら、それを並べる。利幅の少ない地道な仕事、従業員は10人を何とか雇っている。

「挫折を経験したから、人のために何かできないかと考えるようになりました」

ロンドンからのツイッターは東京中に拡散したはずだが、それを僕宛てに送ってきたのはたった1人だった。

奇跡の情報リレーは単なる偶然の連鎖ではない。ショートメールを発信した園長、ロンドンのユダヤ人街ではたらく息子、零細企業の親父、それに僕を含め、防災部長も含めて、リレーに参加したのは偶然であったが、みなそこに居なければならない事情のなかでせいいっぱいやるべき仕事をした。偶然が必然になった。

すでに述べてきたように背景に「公」の時間が流れている。歴史や文化がある。「私」が「公」と絡み合い、現実が動いて物語が生まれる。

都知事に就任。東京五輪招致へ

都知事就任と共に始まる招致活動

僕は副知事を5年務めた。課題解決のためのプロジェクトチームを幾つも立ち上げた。その一つが地下鉄の一元化だった。東京メトロと都営地下鉄が別々に運営されているために利用者は不便を強いられている。その象徴的な存在がいわゆる「九段下のバカの壁」であった。ホームの中央に仕切られた1枚の壁があるために階段を昇り降りして改札を出入りする必要があった。

「バカの壁」を取り払う工事がそろそろ終わるころの2012年10月25日、石原慎太郎さんが新党結成と国政再挑戦を決断し、東京都知事辞任を発表する。「あとは猪瀬さんがいるから大丈夫」と言われ、後継指名を受けた僕は、これはやらざるを得ないとすぐに腹をくくった。

12月に都知事に就任した僕は、その日のうちに宮内庁を訪問した。2020東京五輪の招致活動には、皇室の存在が不可欠という認識があった。翌2013年1月7日に、立候補ファイルをＩＯＣへ申請すると招致活動が「よーい、ドン」と解禁になるからだ。

２０１６年五輪の招致は、２００９年が招致活動の年であった。招致の失敗した原因は幾つもあったが、ひとつに宮内庁の非協力があった。

宮内庁は優柔不断を旨とする役所である。石原さんが「皇太子さんを出してくれ」とお願いに行ったが、なしのつぶてであった。短気な石原さん、記者会見で言い放った。

「宮内庁の木っ端役人めッ」

これで宮内庁との交渉は修復不可能になってしまった。

２０１６年五輪の招致活動は地球温暖化に対する問題提起など「環境五輪」を強く打ち出した。もちろん石原知事のディーゼル車規制の成果などをアピールした。だがそれがＩＯＣ委員には不評だった。「そんなことは国連でやってくれ」と冷たく言われる始末で、やはり五輪招致はアスリートファーストでなければならないと痛感した。

２０２０東京五輪の招致活動は２０１３年1月10日、あえてロンドンでの記者会見でスタートさせた。申請ファイルをＩＯＣへ提出したのが1月7日で、そこから招致活動の解禁である。ライバルはスペインのマドリードであり、トルコのイスタンブールだ。

東京ではなくロンドンで会見することに意味があった。ロンドンで記者会見を開くと、世界中から記者が集まり、いちばん高いところから水が流れるように、情報が世界中に流れていく。そういう外国の映像を日本のメディアが東京で流すことで国内の支持率のアップにつながると判断した。

五輪招致をどうしてもやらないといけないと思った。リーマンショックから大震災へと続く流れのなかで、閉塞感に覆われていた重い空気を吹き飛ばすためだ。

2020という近い未来に日本人に共通の目標を設定するしかない。ロンドンと東京には共通点がある。どちらも島国であり、先進国の落ち着きがあり、犯罪も少なく治安もよい。途上国のような初めての五輪ではなく成熟国家の五輪。ロンドンでの記者会見は、国内外の多くのメディアで取り上げられた。大成功したロンドン五輪と東京五輪を一本の糸でつなげロンドンから東京への流れを可視化させる作戦だった。

狙いは当たった。1月下旬に実施されたIOCの覆面調査で、地元・東京の五輪支持率がちょうど70パーセントに達した。有資格者と言える。

3月初旬、サー・クレイグ・リーディ（リーディ卿）を委員長とするIOC評価委員会が立候補都市視察のために来日した。立候補3都市を回って通知表をつけるのだ。

その評価委員一行が、有明のテニスコートでパラリンピックの金メダリスト・国枝慎吾選手と僕がテニスをしている、そういう場面に遭遇するサプライズ演出を考え、実行した。前回の招致失敗の教訓から環境問題よりも、あえて都知事がアスリートであると示すほうが共感を得られるとの考えだ。

その後、招致のために訪れた都市では、メディアのカメラを意識して必ずランニングをしたし、会話のなかで「空手はブラックベルト（黒帯）」であるなど、割り切ってアピールに徹した。

ＩＯＣ委員に気に留めてもらえたので、晩餐会などで話がしやすくなった。

五輪招致はマラソンレース

僕がランニングを始めたのは64歳からで、中学の運動会以来、ずっと走ったことはなかった。副知事の仕事を熱心にやりすぎてメタボになってしまい、人間ドックで警告を受けたからだった。

原稿を書き続ける作家の仕事は基本的には不健康であり、そのためテニスや空手をやることもあったが、歩くのも走るのもめんどうと思っていた。歩いて5分のテニスコートにクルマを運転して1分で行くような人間であった。

ランニング開始とスマホの入手が重なったのは偶然だが、これが持続するための有効なやり方となった。

スマホのランニングアプリでは、距離やスピード、走った場所の地図が記録される。それが好奇心を刺激する。知らない場所を走って、地図を見て満足する。

毎月60キロから70キロぐらい、年間８００キロほど走るようになったところで、ランニングの開始から1年半後に東京マラソンに挑戦、完走した。

五輪招致はその翌年だから、ちょうどランニングに自信を持ち始めたところで、招致活動のアピールとうまく合致したのである。

五輪招致をマラソンレースにたとえて考えるようになったのは、東京マラソン完走の経験のおかげである。

招致レースは、1月のロンドンがスタート、3月の評価委員会の東京視察が10キロメートルあたり、5月末のロシアのサンクトペテルブルクのプレゼンが20キロ、7月初旬のスイスのローザンヌのプレゼンが30キロ、もちろん42・195キロのゴールは9月初旬のアルゼンチンのブエノスアイレスの最終プレゼンに見立てた。

ペース配分、力点の置き方など、こういう展望の下に行った。

皇室の招致活動参加

『昭和16年夏の敗戦』でアメリカと戦争をしたらどうなるかというシミュレーションを総力戦研究所の若い研究生による模擬内閣で行ったところ、予測が正確だったと書いた。「緒戦は勝っても、しだいに物量、つまり経済力の差は明確になり、3年から4年で敗戦を迎える」との見通しだった。

だが現実にはその予測は生かせなかった。実際の内閣と軍部は正確なデータによる予測をせずに戦争に突入した。日本には意思決定の中枢が不在だったからだ。

開戦を決断するときに組織が縦割りでバラバラで、海軍と陸軍はそれぞれ持っている石油の備蓄量を互いに申告しない。敵と戦うのに味方が分裂していて勝てるわけがない。

オリンピックの招致の戦いを〝戦争〟に見立て、その教訓を生かさなければならないと思った。

まず情報の中枢をつくることから始めた。各競技連盟が縦割りで、都庁も縦割りで、それで霞が関も縦割りで、中枢機能がない。

ロンドン五輪を招致したイギリス人にやり方を尋ねた。007の国にふさわしくまず情報の中枢をつくったのだという。

たとえば、あるIOC委員に非公式に接近するため、趣味を調べオペラ鑑賞だとわかるとその委員のスケジュールを把握する。オペラの席まで特定し隣の席を確保する、そして「いやあ、偶然、お隣ですねえ」などとさりげなく声をかけて坐り、親しみを込めて話しかける。

東京五輪のために、情報の中枢をつくることから始めた。外務省はODAをどの途上国に幾ら、何をつくっているか、それでどこを押せばいいのか。各競技団体がそれぞれの国際競技団体のなかのIOC委員が何を望んでいるかを把握する。

そういう作戦を立て都知事室の執務机の後ろの壁に100人のIOC委員の顔写真を貼った。ヨーロッパの委員には貴族でスノッブが多い。僕の本の英訳版を渡して、東京のガバナーは作家だと念を押す。リベラルアーツが共通の話題なので説得力が生まれる。

マラソンに似た招致レースは、どこで皇室の出番をつくるかにもかかっていた。3月には、リーディ卿を委員長とする評価委員たちに、東宮御所を訪問していただいた。皇太子殿下への表敬訪問が実現した直後、リーディ卿から「皇太子殿下を表敬訪問できたことは、国民がオリンピック・パラリンピックを支持している証だ」という言葉を引き出すことに成功した。

東宮御所は権田原の正門から入るとすぐに車寄せと玄関があり、近すぎてありがたみが薄れる。だから豊川稲荷側から入って大回りにゆっくりと庭園を通過して参道を長くして到着するよう演出した。

ここまでは上々な滑りだしだった。

5月のロシアのサンクトペテルブルクでは東京が一歩リードしている実感があった。だが7月のスイスのローザンヌで思わぬ壁にぶつかった。

マラソンでは30キロ過ぎが勝負と言われるが、まさにそのときマドリードがライバルを振り切るために急にスパートをかけてきた。

フェリペ皇太子（現、国王）という切り札を出してきたのだ。皇太子は身長2メートル、バルセロナ五輪でヨットの選手として出場し、開会式で旗手を務めたスポーツマンである。プレゼンでは喝采を浴び、晩餐会ではフェリペ皇太子の周りは黒山の人だかりができた。流れは一気にマドリードに傾いた。

IOC委員の1割は王室メンバーと言われるほどで、彼らは各国のロイヤルファミリーに近しい感情を抱いている。ロンドン五輪招致ではエリザベス女王がIOC関係者にお会いになっていた。

もともと近代スポーツは19世紀には余裕のある貴族たちの余暇から生まれた。賭け事として金銭のからむプロ・スポーツはあったが、オリンピックはアマチュア・スポーツの祭典として始められたのである。したがって関係者には貴族、あるいは上流階級が多い。独特のスノッブな雰囲気が残っている。

フェリペ皇太子の人気は当然といえば当然なのであった。ベルギーも王室があり、ブエノスアイレスでの決定発表で悠揚たるしぐさで「トキョー」とカードを読み上げたIOCのロゲ会長（当時）はいかにも貴族（伯爵）、日本ならさしずめお殿さまという感じだったので、雰囲気は理解していただけると思う。

幾度も宮内庁には皇族の出席をお願いしてきた。ブエノスアイレスの最終決戦に三笠宮彬子女王殿下のお出ましが決まりました、と長官は言った。彬子さまはヒゲの寛仁親王の長女でこのとき31歳、オックスフォード大学の博士号を取得した学究肌の女性である。

だが僕は早世されたスポーツの宮様である高円宮憲仁親王のお妃で日本サッカー協会の名誉総裁など、スポーツ団体と関係が深い高円宮久子妃殿下にお願いするつもりでいた。久子妃殿下はフランス語も堪能で、フランス語を第1公用語とするIOCとも相性がよいからだ。しかも彬子さまの日程を確認したら肝心のプレゼンの前日帰国になっている。

宮内庁のセンスには呆れるしかない。皇室を争いごとに巻き込まれるようなことにしたくない、との発想らしいが、これは政治ではなく平和の祭典なのだ。争いごとどころか伝統文化の日本を世界にアピールするチャンスなのだ。僕は怒った。

「前日に帰国の日程なんて、冗談じゃないよ」

宮内庁の優柔不断をなんとかしなければいけない。交渉を続けた。

「高円宮妃殿下をどうしてもお願いしたい。当日に皇族がいないのはおかしい」

「1カ所に2人の皇族がお出ましという前例はありません」

前例がない、の一点張りである。

8月の半ばになり、ようやく高円宮妃殿下にブエノスアイレスの最終日まで現地で招致活動をしていただく決定が下りた。

チームニッポンの物語

アルゼンチンのブエノスアイレスは地球の裏側である。もし東京で井戸を真っ直ぐ掘り進めればブエノスアイレスに到達するはずだ。ニューヨークまで12時間、そこからさらに12時間の行程である。地球の裏側まで宮内庁のコントロールが利かない。

宮内庁は高円宮妃殿下に晩餐会の出席などの活動は想定していたが、最終プレゼンに登壇させないつもりでいた。争いごとに巻き込まれてはならないと思っている。しかし、そういうわけにはいかない。すでに述べたが、IOC委員にはロイヤルファミリーに対する特別な畏敬の念がある。

いよいよプレゼンで「チームニッポン」の出番となった。トップバッターは高円宮妃殿下だ。登壇すると会場は厳粛な雰囲気につつまれた。

「世界の皆さま、東日本大震災へのご支援をありがとうございます」

妃殿下の流暢なフランス語が会場に響いた。近代五輪の創始者クーベルタン男爵はフランス人だった。IOC本部のローザンヌはスイスのなかのフランス語圏にある。五輪の第1公用語はフランス語で、英語は第2公用語なのである。

高円宮妃殿下のプレゼンは、東日本大震災のお礼が中心だから、宮内庁との約束は破ったことにはならない。

プレゼンの全体は物語構造にしてあった。2番バッターは、ロンドン・パラリンピックの女子走り幅跳びに出場した佐藤真海さん、震災の話を受け継いだ。

「被災した気仙沼の出身です。友だちが津波で死にました。私も右足の肉腫で膝から下の部分を切断したけれど、東京で開かれるパラリンピックで頑張りたい」

病気や震災からの立ち直りとスポーツの力を重ねてアピールした。

最終プレゼンは、高円宮妃殿下の東日本大震災の支援への感謝から、被災地の佐藤真海さんのパラリンピックへ、そしてリレーのバトンはつぎつぎと渡り、僕は「東京はダイナミックでありながら、平和で、信頼のおける、安全安心な都市」とアピールした。「お・も・て・な・し」の滝川クリステル、フェンシング銀メダリストの太田雄貴へとバトンはつながっていく。40分のプレゼンはひとつの物語となってIOC委員の胸に届いた。

ロゲ会長の口から「トキョー」の言葉が発せられたのは9月7日夕方5時20分（日本時

間9月8日早朝5時20分）であった。

マラソンレースは抜きつ抜かれつだった。スペインがスパートをかけたときには焦りは生じたが、最後はトラック勝負だと綿密に計算して詰めていったことがよかった。

じつは２０２０を逃すとつぎにもう東京のチャンスはない、と知っていた。

ロンドン五輪が決まったときに、ロンドンとパリは互角の勝負で、むしろパリがリードしていた。たった4票差、土壇場でロンドンが逆転したが、２人動いたら同点というきわどい勝負を意味した。ＩＯＣ委員たちの間では、だからひと回りした２０２４はパリにする、との暗黙の了解ができていた。２０１６東京から２０２０東京へ、２度目の挑戦はラストチャンスだったのだ。

都知事を辞任。『ラストニュース』は終わらない

招致成功後に立ちはだかった壁

こうして招致は成功したが、その後、問題が生じた。

招致成功から1カ月後、毎日新聞に「新国立競技場3000億円」というリーク記事が載った。1300億円がなぜ3000億円なのか、ゼネコンの思惑があるのか、わからない。東京都の受益者負担分も、それに比例して増えるなら納得ができない。

そこで「設計内容について専門機関による技術的な精査を受け、透明性を高めることが必要」と、僕は都議会で述べた。

招致を終えたので招致委員会は解散し、新たに組織委員会をつくらなければならない。竹田恆和JOC会長と2人で構想を詰めた。ロゲ会長の前でIOCに対してサインした当事者はJOC会長と都知事であり、首相でもなければ森喜朗元首相でもないからだ。

組織委員会のトップには、日本体育協会の会長であり、コスト削減を看板にしているカイゼンのトヨタ自動車元社長の張富士夫さんにお願いすることにして、密かにお会いして

内諾を得た。

ロンドン五輪はCFO（財務責任者）をゴールドマン・サックスから招聘したが、東京五輪でも日本的なしがらみのない外資系企業の日本法人社長をあてるのがよいという意見で竹田さんと一致した。森さんたち政治家の皆さんは顧問団になってもらう。

ところが組織図のなかの顧問団の位置がパソコンのごみ箱に見えたのかもしれない。組織図が漏れると、竹田と猪瀬を外せ、という風がどこからともなく吹いてきた。

その後はご存じの通り、僕が都知事を辞任、組織委員会の会長の椅子に就いたのは森さんだった。とうとう2019年6月に竹田さんも辞任した。

新国立競技場の3000億円の当事者JSC（日本スポーツ振興センター）理事長だった河野一郎は、理事長を辞任したものの組織委員会副会長の椅子に坐っている。

メディアは、新聞もテレビも2020オリンピック・パラリンピックへの協賛団体なので組織委員会について触れることがタブーになっている。

東日本大震災という「国難」からの復興は依然として2020オリンピック・パラリンピックの大きな目標であることを忘れてはならない。

その大きな目標に異変が生じたのは新型コロナ感染症の世界的な蔓延である。オリンピアードの憲章では4年間の1年目に大会が開かれなければいけない、とされている。IOCは苦渋の決断として1年延期を決定した。過去に第一次大戦、第二次大戦で中止になったが延期は初めてである。2021年開催であっても「2020東京」として開催するとしている。震災だけでなく世界共通の災厄からの脱出のあかつきに祝福に満ちた平和の祭典が東京で開かれることを願うのみだ。

選挙での戸惑いと不安

都知事を辞任する経緯については、NewsPicksのロングインタビュー（インタビュアー佐々木紀彦2016年7月13日「猪瀬直樹が語る『東京のガン』」）で述べたがここでは要点のみ記しておきたい。石原さんから急な後継指名を受けたものの、選挙については経験がない。

必要な選挙資金については、1億円ほどかかると言う人もいれば、それほどはかからないと言う人もいて、まるで見当がつかない。

ポスターの作り方や選挙カーの手配などは、石原さんの特別秘書2人がおおまかなポイントを教えてくれた。問題は都議会自民党が石原さんの後継指名を受け入れないことだった。自民党東京都連の幹事長であり、都議会自民党のドン内田茂が、参議院議員宿舎の計画を白紙にした僕のことを快く思っていなかったからだ。

自民党の安倍総裁、石破幹事長は支持を表明しているのに、自民党都連は1万枚のポスターをそっくり突き返してきた。

そのため僕は、資金面の不安と、誰がポスターなどを貼ってくれるのかという人繰りの不安を抱えることになり、水面下でさまざまな団体を回って協力を要請していた。そのひとつが徳洲会だった。

鎌倉の病院へ行き徳田会長にあいさつをしてから10日ほどのちに、徳田議員から、資金を用意したから議員会館へ直接受け取りに来てほしい、と言われた。じつはその間に少しずつ支持基盤も固まりはじめ、自己資金で選挙を賄えるめどがついてきた。労働組合の連合が僕への支援を申し出てくれたのでポスター貼りは何とかなりそうだった。

そこで徳洲会からの申し出をどうするか、迷った。もう大丈夫ですと断ればよかったのだが、選挙協力をお願いしたこれまでの成り行きもあり、また先行きの不安感をすべて払拭できたわけではなかったので、いったんお預かりすることにした。徳田議員は「借用証」「徳田毅殿」という文字と日付が印字されたA4判1枚の借用証を差し出し「ここにサインを」と言ったのでサインした。借りたものは返せばよい。借用証があったのでむしろ安心である。

突然の報道と都知事退任

それから1年後、組織委員会の人事を竹田さんと話し合ったあとだった。

「徳洲会から5000万円の資金提供」を受けたという報道が突然出た。2013年11月22日の朝日新聞朝刊である。それからはハチの巣をつついたような騒ぎが続いた。

賄賂である可能性も否定できないと、都議会の総務委員会で10時間くらい立ったまま追及される。人民裁判もどきである。札束に擬した直方体の包み紙を用意して、バッグに入らないじゃないか、と嫌がらせのパフォーマンスをする質問議員がいた。それがカチカチの発泡スチロールの塊であるとは僕に知らせずに、押してみろと挑発した。

メディアが借用証を要求するので、記者会見で見せると、記事でニセモノだと決めつけた。結局、雲隠れしていた徳田議員が表に現れて、あの借用証はホンモノですと表明したのは辞任から2カ月後だったのでメディアはただ小さく扱っただけだった。

都議会だけではなく、メディアも一体化して収賄だと決めつけ、いくら弁明しても炎上するだけだった。

12月は東京都の予算案作成の時期であり、このままでは議会の承認が得られず予算案が作成できない。都政の停滞を避けるため、僕は12月19日に都知事退任を表明した。

都内に徳洲会病院があることを知らなかったのは軽率だが、実際には八王子市に近い昭島市にあった。ならば徳洲会とは利害関係者になり、公務員の服務規律違反になるのでケジメをつけた。

その後、検察の捜査によって5000万円は手付かずで全額返済されていること、僕のはもちろん秘書全員のパソコンや携帯電話を任意で提出しており、その記録(通話記録やメール)には徳洲会からの働きかけがいっさいなかったことが確認され、収賄ではなかったと認定された。

だが選挙の収支報告書の収入欄に５０００万円が記載されていない、だから公職選挙法違反にあたると検察は指摘した。弁護士は、５０００万円はいったん預かったが、選挙資金として使用する意思はなく、選挙資金として使用した事実もなく、全額をそのまま返したのだから、選挙の収支報告書に記載する必要はない、と主張した。

結局、検察には記載漏れだと処断され、罰金50万円と一定期間（５年）の選挙権・被選挙権停止の略式命令の処分を受けた。

その後、２０１５年から現在まで非常勤公務員として大阪府と大阪市の特別顧問を務めている。なお２０１９年３月28日にこの処分は終わっている。

都知事辞任報道の全体の流れは、僕自身に至らないところがあったとはいえ、まったく根拠を示さぬままに収賄を想起させた点は、受け容れることはできない。

日本経済新聞２０１９年４月12日朝刊で「都議会やメディアに収賄を疑われたが、検察の捜査で収賄の嫌疑は晴れた」と、５年も経ってようやく事実が報じられた。しかし、未だに他の新聞やテレビは事実の検証をせず、訂正もしていない。

メディアへの問題提起

僕は１９９０年代前半に『ラストニュース』（弘兼憲史・作画、猪瀬直樹・原作）を『ビッグコミックオリジナル』誌に連載して全10巻で完結した。

この作品の意図は、メディアは間違えるが、訂正をしない、そのあり方に対する異議と提案であった。

そのころ、テレビにかぎらず、メディアはさまざまな課題を抱えていると感じており、なぜ日本ではきちんとした調査報道ができないのか、と不満もあった。『ラストニュース』は、だから一日の最後の11時59分からはじまる、予算のあまりつかない検証番組、訂正専門の番組である。プロデューサーが役員を説得してようやく獲得した枠という設定にした。その日の自局でのニュースやワイドショーをチェックし、誤報や掘り下げが不充分であれば独自の取材で検証する。そこに僕の思いが込められている。ニュースは間違えると報道被害をもたらす。したがってその日に流されたニュースをその日のうちに再検証し訂正しなければいけない。そうでないと間違った報道によってもたらされた「現実」ができてしまう。

だから再検証して間違っていたら訂正するか視点を変える。それがメディアのあり方であり使命である、と『ラストニュース』で問題提起した。

最近はフェイクニュースがネットで増えたと言われるが、もともと地上波では行き過ぎた見世物的な情報番組が垂れ流されていたのだ。

メディアが弱者を踏みつぶすようであってはいけない。許されない。テレビ局は提供スポンサーの意見には敏感だが、誤報やプライバシー侵害など報道被害者たちの声には鈍感になりやすい。そういう面でもメディアは内部に自浄作用の仕組みがなければいけない。

第Ⅲ部の冒頭で、ソリューション・ジャーナリズムに触れた。メディアが紋切り型の批判を繰り返すのは、当事者意識が欠如しているからだ。

客観報道といえば聞こえはよいが、報道する側にも当事者意識は絶対に求められる。それがないと深い報道はできない。当事者に負けないくらいの情報を集めたうえで、「もし自分が当事者であればどう決断するだろう」と考える。

道路公団民営化を推し進めたときに「小泉は権力だろ」と批判されたが、権力はそんなのっぺらぼうなものでなく、当時は自民党道路族など抵抗勢力の権力のほうが強かった。そして背後に既得権益の官僚機構が横たわっている。権力は一色ではない。都知事になると「猪瀬は権力の側へ行った」という言い方をされたが、改革を阻む「都議会のドン」の隠然たる権力は氷山のように表面に現れていないだけだった。そしてメディアも権力である。その自覚がないぶんだけかえって危ない。

日本のメディアにとっては、「中道左派」のようなふりをして適当に政府を批判しているのがいちばん居心地がいい。あるいは「排外主義」に依って他国を批判して溜飲を下げていれば情緒的な賛同を得られる。

新聞やテレビの時代からネットの時代へと、テクノロジーによりメディア環境が変わっても、家長の意識を持ち「公」を背負わないかぎり進化はない。

作家としての使命

東京都知事を辞任してわかったのは、利害関係で僕と接してきた人びとは去って行くが、そうでない人は残るということ。権力があると人は近づいてくる。ないと去る。政治家とはそういうものなのだろう。

だが僕は政治家ではない。

僕は自分が作家としてやらなければならないから、政治に関わった。日本国における「家長」としての使命を果たしたまでだ。森鷗外が元号を自分でつくらなければならないと思ったように。

ある夏、政治家のパーティーに行ったら、僕の前で2人の国会議員が話をしている。盆踊りに何回行ったか。

「僕は200回だよ」

「いや僕は300回です」

自慢し合っているわけではない。苦労話をしているのだ。それなら5分ごとに顔を出し移動しなければならない。とくに小選挙区になってから厳しいらしい。

これでは天下国家などとても考えている暇はない。政治家にならなくてよかったと思った。

道路公団民営化をやったり都知事をやったりしたから、僕を政治家と勘違いしている人がいるが、そうではない。

道路公団民営化は行政を動かすために強引な情報公開をやったのであり、都知事も「首都庁長官」と思っていた。政治家でなく「スーパー官僚」としてスピード感をもって縦割りの役所を動かそうとしたのだ。行政は法律に縛られるが、実際にはほとんど運用で動いていくのである。作家的な感性とマネジメント能力でたいがいは解決できた。

だから僕はちょっと傲慢になっていたかもしれない。そこのところを足を掬われた。自らの落ち度で招いたことで反省している。

作家としてやり残したことをまず片づけなければいけない。副知事、都知事は忙しすぎた。

東京五輪のテロリスト対策が心配なので『民警』（週刊ＳＰＡ！に連載）を書いた。自衛隊が23万人、警察が24万人いる。それだけでは日本の治安は守れない。民間警備会社は１００万人いる。顔認証など先端技術は民間のほうが進んでいる。空港も原発の警備も民警がやっている。

気仙沼の記録も残しておきたかったので『救出３・11気仙沼公民館に取り残された４４６人』を書いた。

若い書き手とも討論した。三浦瑠麗と共著で『国民国家のリアリズム』を、磯田道史との共著『明治維新で変わらなかった日本の核心』を、落合陽一と共著で『ニッポン２０２

1-2050データから構想を生み出す教養と思考法』も出した。

NewsPicksの佐々木紀彦によるロングインタビューをもとに『東京の敵』として上梓した。先輩であり時代の証人・田原総一朗とはこの30年を振り返って『平成の重大事件』として整理した。

いま東京都知事の経験を生かして大阪府・大阪市特別顧問も務めている。

振り返ってみると、何だか歳を取った気がしないのが不思議である。好奇心の赴くままに、謎解きをしてきたからだと思う。疑問はごくふつうに見える風景のなかに隠されている。違和感は感性がキャッチする。つぎにファクトとロジックが鍵を提供する。不自然に謎を封印する扉があれば、強引にこじ開けてもよいと思うのは、何か触れてはいけないものに真実が隠されているからだろう。扉は歴史のなかにもあるし、現代の官僚機構のなかにもある。好奇心にはそもそも「忖度」というものがないから、誤解されたり嫌われたりすることは茶飯事である。そういう自分を弁護するわけではないが、僕は人を中傷したことが一度もない。

僕は作家活動を狭い意味で考えていない。個別・具体的な「私の営み」を、普遍的な「公の時間」につなげるのが作家の仕事である。作品を書いているうち、現実の解決策を思いついたら、直接、実行してもよいのである。

僕は作家としてそうしたが、読者もまた仕事に固定観念をもたないようお勧めしたい。

エピローグ

アフターコロナ

新型コロナウイルスであらためて日本の医療体制が問われることになった。さいわい欧米のような医療崩壊の危機には直面していない。２０２０年６月の段階では死者数もかぎられている。

コロナ禍は第二次大戦以来の歴史的緊急事態をもたらした。今後は感染症と共存しながら解決の道筋を模索することになる。もちろんそのためにはベースとなる恒常的な日本の医療体制がしっかりしていなければならない。日本の病床数は量だけなら世界のトップクラスだが、スクラップ&ビルドができていない。必ずしもＩＣＵの数が多いわけではないのだ。

新型コロナウイルス問題が現れる少し前、僕は２０１９年末に『日本国・不安の研究』を上梓した。冒頭にこう記した。

「日本のGDP550兆円のうちいまや一割の55兆円が医療（43兆円）と介護（12兆円）である。そこで雇用されている医師や看護師や理学療法士や介護福祉士などが600万人いる。日本を代表する製造業、自動車関連の製造品出荷額は55兆円で、自動車産業の雇用550万人と肩を並べるまでに巨大化している。

そればかりでなく医療・介護はクルマと同じぐらい暮らしに密接な存在にもかかわらず、その内実がわかりにくい。大半が税と保険で賄われていることにより、市場のチェック機能がはたらかない。自動車の製造ラインはカイゼンやAI導入など効率化を高めることができるが、医療・介護は人件費の比重が7割にも達する労働集約型の産業である。

不安はもうひとつある。自動車産業は少子高齢化にともない国内市場は縮小していくしかないが、医療・介護は逆に間違いなく成長産業になっていくことだ。

そしてほんとうの不安は、人生100年時代の後半部分を不透明な医療・介護産業に託さざるを得ないところだろう」

団塊の世代が後期高齢者となる2025年には医療費48兆円、介護費15兆円に膨らむと予想されている。さらに高齢化が進展するなかで医療・介護産業の構造改革はまったなしの状態であるにもかかわらず、具体的な手立てが打たれていない。僕は具体的な改革の手順を示したつもりである。

政府としては「少子高齢化と同時にライフスタイルが多様となる中で、誰もが安心できる社会保障制度に関わる検討を行う」として全世代型社会保障検討会議を２０１９年9月から立ち上げて、解決策を提示する算段のようだが、中間報告までに開かれた会議はわずか5回でしかない。

第1回は9月20日で45分「今後の検討の進め方」・記者会見は30分、第2回は11月8日で60分「有識者からのヒアリング」・記者会見は8分、第3回は11月21日で60分「有識者からのヒアリング」・記者会見は16分、第4回は11月26日で60分「中間報告に向けた具体論について」・記者会見は3分、第5回は12月19日で25分「全世代型社会保障検討会議中間報告（案）について」・記者会見は19分だった。

全世代型社会保障検討会議のメンバーは安倍首相を議長に、議長代理は西村康稔・全世代型社会保障改革担当大臣、構成員に財務大臣、官房長官、総務大臣、厚労大臣、経産大臣と政府側7人、有識者9人計16人である。

ここでも新型コロナ対策担当大臣の西村康稔が記者会見を行っている（西村大臣の経済財政担当という役職は、戦後は経済企画庁長官の呼称だった。戦前の企画院の流れを受け継いでおり、第I部に登場する鈴木総裁の不決断を繰り返しているように思われる）。意思決定に必要な各部門の責任者を揃え、休裁上、外部の有識者を入れてはいるが、実体のある会議とは言いにくい。開かれた時間の長さ、短い記者会見なども合わせて考えると、２０２０年度予算の原案への間に合わせ的な会議であったことがわかる。

議事録は作成されているが、中身の濃い議論は行われていない。事務局の官僚たちにほぼ丸投げしていたとしか思えない。そうなると役人は踏み込んだ案文を書くことはできない。

決めなければいけないことが山積している

2019年の年末の予算編成では構造改革が問われたテーマがあった。

在職老齢年金制度というものがあり、65歳以上で就労しているともらえる年金額が減額されてしまうという制度的欠陥が問題にされていた。

65歳から年金がもらえるのに、就労して1000万円の年収があるビジネスマンがいるとしよう。あなたは稼いでいるのだから年金を半分に減額しますよ、と言われたら、それならもう働くのをよそう、と意欲をなくしてしまうだろう。働いて頑張れば、納税者として貢献できるし、健康寿命も延びる。そういう前向きな勤労意欲を阻害する制度が在職老齢年金制度なのである。

これまで限度額というものが設定されていた。在職老齢年金制度では、厚生年金や共済年金の受給者が対象で、65歳以上で就労していて収入が月額47万円（賃金と年金の合計）を上回ると年金が減額されていた。年収レベルで564万円である。年金が月20万円で年額240万円とすると、仕事で稼いでよい限度額は月30万円にも満たない年額324万円までだ。それ以上稼ぐと年金が半額になってしまう。この状態を放置していたら勤労意欲のある65歳以上の高齢者の賃金相場が低く抑えられることになる。

年末の予算編成時までに厚労省が検討していたのは、月額47万円の限度額を月額62万円までなら年金は全額支給するというものだった。

ところが紆余曲折する。高齢者優遇との批判が出ることを懸念し、自民党が厚労省に修正を求めた。結果、月額51万円に見直しになりそうになり、そのうえ公明党が土壇場でさらに修正を迫り、現行47万円のまま据え置かれた。結局、何も変わらなかった。

これではずっと仕事をしようと頑張る高齢者に、もう仕事をするなと止めるようなものだ。少子高齢化時代で一億総活躍社会では女性の賃金を上げ、高齢者の賃金を上げ、障害者にも労働市場に参入してもらい納税する側に回るための環境整備を急がなければならないのに、がっかりである。

高齢者にどんどん働いてもらって、健康保険の窓口負担もきちんとやってもらうのが筋である。75歳以上の後期高齢者は窓口負担1割だが、それを一律2割にアップすることで世代間の公平をはかればよいのだ。

国民医療費に占める後期高齢者の医療費は34パーセントにのぼり、金額では14兆円を超える。これからさらに団塊世代が後期高齢者になることで他世代の負担は増加する。窓口負担を2割に上げれば、なんとなく病院へ通う後期高齢者の頻回受診も減り、また医療費そのものも減るのだ。

ところが全世代型社会保障検討会議がまとめた中間報告には、ほとんど主体性がない。

与党自民党の12月17日の提言と公明党の12月18日の提言を踏まえて、と前段で記されているように、在職老齢年金の改革も、後期高齢者の窓口負担の引上げについても明言はできずに終わっている。

新型コロナウイルスで日本は２０２０年6月現在欧米のような医療崩壊の危機には至らずにいるが、高齢化社会の到来に備えた医療・介護の改革はできておらず、全世代型社会保障検討会議が既得権益と対決できないようでは意思決定にはならない。

こうして全世代型社会保障検討会議のような中身の薄い〝決めない会議〟を繰り返してきたのである。

国家予算は約１００兆円である。予算は各省から上がって来る要求額を、財務省主計局が査定する。その場合、前年度予算に幾ら上乗せするか、幾ら減額するか、という考え方になる。小幅に増えたり減ったりするが、ゼロ査定はほとんどない代わりに、新しい政策のための新規予算も少ない。したがって配分の動脈にはコレステロールがどんどんたまっていくばかりである。きちんと外科手術をしないと、つまり構造的な改革を提起しないかぎり、動脈硬化を起こすしかない。そうやってずるずると１０００兆円の財政赤字をつくってしまったのである。

これが「平時」であった。

いまコロナ禍という「有事」に際して同じことをしてはいられないのだ。

戦争の反省としてしばしば「ガダルカナル」のたとえが用いられる。あれは「有事」なのに「平時」の発想で対応した誤りの例である。優勢な米軍の攻撃に対して、大本営はガダルカナル島の日本軍守備隊に応援部隊を送ったのだが、一度に大軍団を送らないで、ちびちびと援軍を送ったがためにいっそう犠牲者が増えた。いわゆる「戦力の逐次投入」の失敗である。

エリート官僚である大本営の参謀たちは責任問題が自身に及ぶことを恐れ、大胆な戦略的な決断をしなかった。トップが思い切った決断をしないとそういう事態になる。

安倍首相の緊急事態宣言での人と人との接触を「最低でも7割、極力8割削減」は、まさに役人的な逃げ道を用意する「平時」の表現だった。

コロナ対策予算は、このまま補正を繰り返せば真水で今後100兆円を超える。医療体制に限っても、平時において医療体制の構造改革をしないままでいたツケが国民医療費としてのしかかっている。大胆な決断が求められている。

そして不思議でならないのは、これほどの深刻な課題を官僚任せにしたまま、メディアが対案を出さずに放置していることだ。

批判している場合ではないのである。実際のところは、政治家も官僚もどうしてよいのかわからないのだから。

「はじめに」で記したように「民主主義社会は独自で多様な文化および（独自で多様な）

メディア界を必要としている」のであり、文化力を担う人びとは「生命維持に必要な存在」なのだ。

幕末から明治にかけて産業革命の波が、蒸気船、溶鉱炉、紡織機を運んできた。「社会」という概念がなかった時期に、福澤諭吉は「人間交際」という人と人との関係の新しい概念をつくった。人と人が集まり、ひとつの空間を共有する、日本にはそれまでなかった広場にあたるもの、それが「人間交際」の意味である。「公」の土壌はこうして用意されるはずだった。

広場で行われる討議から新しい「公正」な意見と合意が生まれる。だが日本はタテ社会とかタコ壺だとか、つねに広場と逆方向への力学がはたらいてしまう。福澤諭吉はその危険性を早い時期に指摘していたのである。

「異説争論の際に事物の真理を求むるは、なお逆風に向かって舟を行るが如し……人事の進歩して真理に達するの路は、ただ異説争論の際にまぎる（帆船が風上に進む意）の一法あるのみ」（『学問のすゝめ』）と、福澤諭吉は、明治維新の動乱がまだ落ち着かないころにこう述べた。百家争鳴のなかに入り込み、そのなかで揉まれてようやく真理をつかむことができる、と。

初代内閣総理大臣伊藤博文はヨーロッパの学者にいまは百家争鳴をしている暇はなく、まず官僚機構を促成栽培せよ、と忠告され明治憲法をつくった。日本は敗戦を挟んでも、その間に合わせの状態のまま現代に至った。先進国にも官僚機構はあるが、ビジョンをつくるシンクタンクや多様な言論空間が別に存在している。日本は官僚機構がシンクタンクを兼ねている。民間のシンクタンクと称するものや記者クラブ依存のメディアは官僚機構の下請けでしかない。

広場をつくらない、あるいはつくることが苦手で、そのまま今日まで来ている。官僚機構は事務能力に長けているだけで、決断はできない。

いまコロナ禍では物理的距離を含めてこれからの人と人との関係がニューノーマル（新常態、新しい日常）と呼ばれ、人工知能、仮想現実、自動運転など第四次産業革命の波とコロナ禍とが奇妙なコラボを始めた。それをどう意識化して、改革に結びつけるかである。日本は欧米と較べると新型コロナ感染症の死者が圧倒的に少ない。何となくコロナ禍が収束しそうにも見える。アベノマスクが6月初旬になっても届かない家があるような状態のなかで、どの政策がどのように効き目があったのかも、まだ検証されていない。たまたまうまくいった、では教訓にならない。第二波の備えを考えるうえで役立つための科学的な説明が必要になる。

あの戦争も真珠湾の戦果に酔いしれたが、航空機と空母による新しいスタイルはむしろ敵国の得意とするところとなり、日本は戦艦大和・武蔵の大艦巨砲主義の旧弊をあらためることなく敗北したのである。

いまこそ広場で百家争鳴の議論を起こして、ニューノーマルの日本をつくるしかないのではないか。
本書では、「公」の世界でつくられるビジョンが机上の空論に終わらぬよう、「人間交際」の深化を阻んできた官僚機構の実態を体験的に示し、その戦いの経過も記した。官僚機構は、政府だけではない。民間にもある。立ちはだかる壁が見えていれば、すでにその読者はクリエイターである。

〔了〕

著者プロフィール

猪瀬直樹（いのせ・なおき）

1946年長野県生まれ。作家。87年『ミカドの肖像』で大宅壮一ノンフィクション賞を受賞。96年『日本国の研究』で文藝春秋読者賞受賞。東京大学客員教授、東京工業大学特任教授を歴任。2002年、小泉首相より道路公団民営化委員に任命される。07年、東京都副知事に任命される。12年、東京都知事に就任。13年、辞任。15年、大阪府・市特別顧問就任。主な著書に『天皇の影法師』『昭和16年夏の敗戦』『黒船の世紀』『ペルソナ　三島由紀夫伝』『民警』のほか、『日本の近代　猪瀬直樹著作集』（全12巻、電子版全16巻）がある。近著に『日本国・不安の研究』など。

装幀・本文デザイン――コバヤシタケシ

本文DTP――朝日メディアインターナショナル

校正――鷗来堂

営業――岡元小夜・鈴木ちほ

事務――中野薫

編集――井上慎平

公〈おおやけ〉
日本国・意思決定のマネジメントを問う

2020年7月10日　第1刷発行

著者――――猪瀬直樹
発行者―――梅田優祐
発行所―――株式会社ニューズピックス
〒106-0032 東京都港区六本木 7-7-7 TRI-SEVEN ROPPONGI 13F
電話 03-4356-8988　※電話でのご注文はお受けしておりません。
FAX 03-6362-0600　FAXあるいは左記のサイトよりお願いいたします。
https://publishing.newspicks.com/

印刷・製本―大日本印刷株式会社

ISBN 978-4-910063-09-6
本書に関するお問い合わせは下記までお願いいたします。
np.publishing@newspicks.com

希望を灯そう。

NEWS PICKS
PUBLISHING

「失われた30年」に、
失われたのは希望でした。

今の暮らしは、悪くない。
ただもう、未来に期待はできない。
そんなうっすらとした無力感が、私たちを覆っています。

なぜか。
前の時代に生まれたシステムや価値観を、今も捨てられずに握りしめているからです。

こんな時代に立ち上がる出版社として、私たちがすべきこと。
それは「既存のシステムの中で勝ち抜くノウハウ」を発信することではありません。
錆《さ》びついたシステムは手放して、新たなシステムを試行する。
限られた椅子を奪い合うのではなく、新たな椅子を作り出す。
そんな姿勢で現実に立ち向かう人たちの言葉を私たちは「希望」と呼び、
その発信源となることをここに宣言します。

もっともらしい分析も、他人事のような評論も、もう聞き飽きました。
この困難な時代に、したたかに希望を実現していくことこそ、最高の娯楽《エンタメ》です。
私たちはそう考える著者や読者のハブとなり、時代にうねりを生み出していきます。

希望の灯を掲げましょう。
1冊の本がその種火となったなら、これほど嬉しいことはありません。

令和元年
NewsPicksパブリッシング 編集長
井上 慎平